O FIM
DA PROCRASTINAÇÃO

COMO PARAR DE ADIAR O QUE PRECISA SER FEITO

PETR LUDWIG

O FIM DA PRO CRASTI NAÇÃO

PROCRASTINAR = DEIXAR AS COISAS PARA DEPOIS DE PROPÓSITO

SEXTANTE

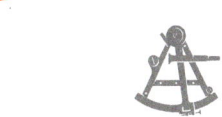

Título original: *The End of Procrastination*

Copyright © 2013 por Petr Ludwig
Copyright da tradução © 2020 por GMT Editores Ltda.

tradução: Ivo Korytowski
preparo de originais: Sheila Louzada
revisão: Luis Américo Costa e Rayana Faria
projeto gráfico, capa e ilustrações: © www.procrastination.com
adaptação de capa e diagramação: Ana Paula Daudt Brandão
impressão e acabamento: Lis Gráfica e Editora Ltda.

CIP-BRASIL. CATALOGAÇÃO NA PUBLICAÇÃO
SINDICATO NACIONAL DOS EDITORES DE LIVROS, RJ

L975f   Ludwig, Petr
           O fim da procrastinação/ Petr Ludwig; tradução de Ivo Korytowski.
        Rio de Janeiro: Sextante, 2020.
        272 p.; 15,2 x 15,2 cm.

        Tradução de: The end of procrastination
        ISBN 978-85-431-0935-0

        1. Procrastinação. 2. Administração do tempo. 3. Autorrealização.
I. Korytowski, Ivo. II. Título.

19-61720
                                                                 CDD: 179.8
                                                                 CDU: 179.8

Todos os direitos reservados, no Brasil, por
GMT Editores Ltda.
Rua Voluntários da Pátria, 45 – Gr. 1.404 – Botafogo
22270-000 – Rio de Janeiro – RJ
Tel.: (21) 2538-4100 – Fax: (21) 2286-9244
E-mail: atendimento@sextante.com.br
www.sextante.com.br

"Esperança não é a convicção de que algo vai dar certo, mas a certeza de que algo tem significado, independentemente de seu resultado."

– Václav Havel

Sumário

Versão ilustrada do sumário	10
Prefácio	12

INTRODUÇÃO: O QUE É PROCRASTINAÇÃO E POR QUE COMBATÊ-LA — 15

Uma história da procrastinação	19
A atual era da paralisia decisória	21
Qual a melhor maneira de obter informações?	25
Um sistema de desenvolvimento pessoal	31
Motivação	34
Disciplina	36
Resultados	38
Objetividade	40
Recapitulando o capítulo: Introdução	42

MOTIVAÇÃO: COMO SE TORNAR – E SE MANTER – MOTIVADO — 45

Motivação extrínseca: recompensas e punições	47
Motivação intrínseca baseada em metas: alegria que não dura	51
Motivação intrínseca baseada na jornada: felicidade agora	60
Por que o sentido é tão importante	66
O poder da visão de grupo	73
Então, qual é o melhor tipo de motivação?	74

FERRAMENTA: visão pessoal	77
Análise SWOT pessoal	79
Lista de realizações pessoais	84
Análise de atividades motivadoras	86
A versão beta da sua visão pessoal	87
A versão final da sua visão pessoal	90
Recapitulando o capítulo: Motivação	94
DISCIPLINA: COMO DAR ORDENS A SI MESMO E CUMPRI-LAS	97
Quando a razão diz sim, mas as emoções dizem não	100
O elefante emocional e o domador racional	103
Recursos cognitivos: a chave da autorregulação	105
Repondo seus recursos cognitivos	107
Aumentando seus recursos cognitivos	108
Criando hábitos: como treinar seu elefante	109
Como não interromper hábitos e como mantê-los	113
Como mudar maus hábitos e abandoná-los de vez	115
FERRAMENTA: lista de hábitos	118
Como funciona a lista de hábitos?	118
Ideias para expandir o método	121
Por que a lista de hábitos funciona?	125
Possíveis riscos	126
Paralisia decisória	130
FERRAMENTA: mapa do dia	137

Como funciona o mapa do dia?	140
Por que o mapa do dia funciona?	149
Possíveis riscos	149
Ideias para expandir o método	150
Lista de tarefas, lista de ideias e agenda	152
Como lidar com imprevistos?	154
A zona de conforto das massas: o berço do mal	158
FERRAMENTA: heroísmo	162
Como treinar para ser mais heroico?	164
Recapitulando o capítulo: Disciplina	168

RESULTADOS: COMO ENCONTRAR A FELICIDADE – E CONSERVÁ-LA	171
De onde vêm as emoções negativas?	175
O ciclo da impotência aprendida	179
Como combater seu hamster? Como um veterano	184
FERRAMENTA: chave interna	191
Gerenciando o fracasso	193
Superando os golpes do destino	196
Mudando do passado negativo para o positivo	198
FERRAMENTA: lista da gratidão	203
FERRAMENTA: botão restart	206
Crescimento pessoal e declínio pessoal	209
Recapitulando o capítulo: Resultados	212

OBJETIVIDADE: APRENDENDO A PERCEBER NOSSAS FALHAS — 215
O efeito Dunning-Kruger e a cegueira do incompetente — 220
    Doce ignorância: a guardiã do nosso cérebro — 223
    Por que combater a falta de objetividade? — 224
    Como exatamente aumentar a objetividade? — 226
Recapitulando o capítulo: Objetividade — 232

CONCLUSÃO: O SEGREDO DA LONGEVIDADE — 235
FERRAMENTA: encontro marcado — 237
    Como funcionam os encontros marcados? — 237
    Possíveis riscos — 238
O fim da procrastinação e seu novo começo — 240

NOTAS E REFERÊNCIAS — 245
Agradecimentos — 270

VERSÃO ILUSTRADA DO SUMÁRIO

INEFICÁCIA
PROCRASTINAÇÃO
FALTA DE MOTIVAÇÃO
FALTA DE PROPÓSITO
FRUSTRAÇÃO
CAOS E ESTRESSE

Prefácio

Há cerca de 10 anos, eu estava convencido de que minha vida tinha terminado. Estava praticando esporte quando sofri uma inesperada lesão cerebral, provocando um distúrbio que deixou todo o lado direito do meu corpo paralisado.

Fui dominado pelo medo e pelo sentimento de impotência, mas ao mesmo tempo senti uma estranha paz. Deitado na cama, minha vida inteira passou diante dos meus olhos. A certa altura, senti como se estivesse atravessando um túnel rumo a uma luz: exatamente como nos filmes. Comecei a fazer uma retrospectiva da minha vida, pensando nos meus fracassos e nas minhas realizações. Aos poucos, aceitei que estava morrendo.

Felizmente, eu me enganei. Poucos dias depois, tudo começou a voltar ao normal, por sorte sem nenhum sinal de sequelas de longo prazo. Eu havia sobrevivido a um encontro com a morte. Foi a experiência mais poderosa que já tive na vida. Mais tarde, a fim de nunca esquecer aquele momento, escrevi para mim mesmo o seguinte pensamento:

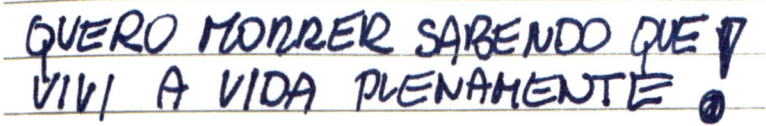

Quando resolvi cumprir essa resolução, descobri que precisaria derrotar um adversário ferrenho: a procrastinação.

Assim, alguns amigos e eu decidimos explorar a fundo por que tendíamos a protelar as coisas e por que éramos tão indecisos e improdutivos. Logo descobrimos que um grande número de estudos científicos havia sido realizado sobre essas mesmas questões nos últimos anos. Com base nesses estudos, criamos um kit de ferramentas prático para combater a procrastinação.

Ao percebermos que esses métodos funcionaram para nós, decidimos que seria bom compartilhá-los com o máximo de pessoas possível. Começamos oferecendo cursos para o público em geral, bem como palestras para universitários. Ajudar outras pessoas a empregar melhor seu tempo e seu potencial deu sentido à nossa vida.

Minha atuação como consultor me inspirou a criar ferramentas ainda mais eficazes para combater a procrastinação. No decorrer dos anos, visitei um grande número de empresas em todo o mundo. Tive a oportunidade de aconselhar pessoalmente seus executivos sobre como motivar os funcionários e aumentar a eficácia e a felicidade no trabalho. Dezenas de milhares de pessoas já participaram dos nossos treinamentos. A partir das experiências e do feedback de clientes, começamos a aperfeiçoar nossas ferramentas até chegarem à sua forma atual.

A certa altura, aquele que viria a ser meu editor me procurou com o convite de escrever um livro. A primeira coisa que pensei foi: "Que grande desafio!" No entanto, achei que seria também um modo excepcional de testar mais a fundo os métodos que leciono.

Será que eu iria ou não procrastinar na hora de escrever um livro justamente sobre procrastinação?

Como sou extrovertido e acostumado a lidar com pessoas – dou aulas e presto consultoria –, escrever este livro foi um dos maiores desafios da minha vida. Para não protelar o processo de escrita, uma atividade tipicamente introvertida e, portanto, que eu não estava habituado a fazer, tive que mobilizar todas as minhas armas antiprocrastinação na potência máxima.

Já que você está com este livro nas mãos, significa que tive sucesso na empreitada. Espero que aproveite a leitura e lhe desejo o melhor na sua luta contra a procrastinação. Aos poucos você vai conseguir vencer, tenho certeza.

Petr Ludwig

INTRODUÇÃO

O QUE É PROCRASTINAÇÃO E POR QUE COMBATÊ-LA

PRO-CRASTINUS
= (LAT.) QUE PERTENCE AO AMANHÃ

PROCRASTINAR
= DEIXAR AS COISAS PARA DEPOIS DE PROPÓSITO

Se você já teve dificuldade em se convencer a fazer coisas que deveria ou gostaria de fazer, então sabe o que é procrastinação. Quando procrastina, você se pega realizando atividades triviais em vez do que é realmente importante e significativo.

Se você for um procrastinador típico, talvez passe tempo demais tirando uma soneca, vendo TV, jogando videogame, checando o Facebook, comendo (mesmo sem fome), fazendo faxina obsessivamente, perambulando no escritório ou apenas olhando para a parede. Depois, você se sente impotente, cheio de culpa e frustração. E acaba, de novo, não fazendo nada. Isso lhe soa familiar?

Mas cuidado: procrastinação não é pura **preguiça**. O preguiçoso simplesmente não faz nada e se sente bem assim. Já o procrastinador tem o desejo genuíno de fazer algo, mas não consegue se forçar a começar. Ele realmente quer cumprir suas obrigações, mas não sabe como.

- COISAS QUE EU DEVERIA FAZER
- COISAS QUE EU FAÇO QUANDO ESTOU PROCRASTINANDO
- COISAS QUE EU GOSTARIA DE FAZER

Também não confunda procrastinação com **relaxamento**. Relaxar recarrega as energias. E isso é totalmente contrário a procrastinar, que deixa você esgotado. Quanto menos energia você tiver, maiores serão as chances de protelar suas responsabilidades e, mais uma vez, não realizar nada.

As pessoas também adoram deixar as coisas para a última hora. Justificam-se alegando que trabalham melhor sob pressão, mas a verdade é o oposto.[1] Deixar as coisas para a última hora é criar um terreno fértil para o estresse, o sentimento de culpa e a ineficácia. Não há nada mais acertado do que o velho adágio *"Não deixe para amanhã o que pode fazer hoje"*.

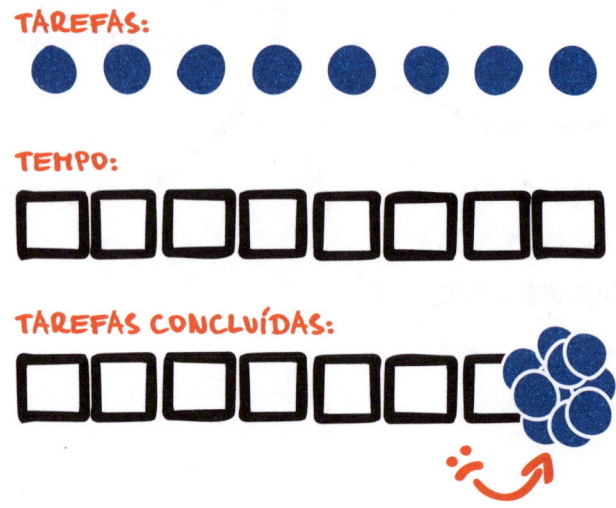

Uma história da procrastinação

Desde o início dos tempos, as pessoas sofrem de procrastinação. O poeta grego Hesíodo menciona o problema em seu poema "Os trabalhos e os dias":[2]

Não adies para amanhã
nem para depois de amanhã;
celeiros não se enchem por aqueles que postergam
e dedicam seu tempo ao infrutífero.
É no cuidado que o trabalho prospera;
adiar o trabalho é lutar com a ruína.

Aqueles que postergam e dedicam seu tempo ao infrutífero: essa definição também serve perfeitamente para o atual *procrastinador*.

O filósofo romano Sêneca também alertou: *"Enquanto desperdiçamos nosso tempo hesitando e adiando, a vida se dissipa."* Nessa citação está a principal razão pela qual aprender a superar a procrastinação é tão importante.

A procrastinação é uma das principais barreiras para que se viva plenamente. Estudos recentes mostraram que as pessoas não lamentam as coisas que fizeram, mas as que deixaram de fazer.[3] O arrependimento e a culpa resultantes de oportunidades perdidas tendem a nos atormentar por muito mais tempo.

Quando você procrastina, perde um tempo que poderia ter sido investido em algo significativo. Se você conseguir derrotar esse inimigo feroz, será capaz de realizar mais e, desse modo, aproveitar melhor o potencial que a vida lhe oferece.

A atual era da paralisia decisória

Qual é o cenário da procrastinação atualmente? Bem, o mundo contemporâneo é um prato cheio para a procrastinação. Aprender a superá-la é, portanto, uma das habilidades mais importantes que você pode aprender nos dias de hoje.

Nos últimos 100 anos, a expectativa de vida humana mais do que dobrou;[4] a taxa de mortalidade infantil é um décimo do que era um século atrás.[5] Todos os dias, acordamos em um mundo com menos violência e menos conflitos militares do que em qualquer outra época da história.[6] Graças à internet, quase todo o conhecimento humano está disponível a poucos cliques de distância. Quase não há limites para as viagens, podemos ir para praticamente qualquer parte do mundo. Saber outra língua permite entender e ser entendido em países estrangeiros. O telefone celular que você leva no bolso é mais potente que os melhores supercomputadores de 20 anos atrás.[7]

A quantidade de oportunidades que o mundo atual oferece é estonteante. Imagine a extensão dessas oportunidades como se fosse a abertura de uma tesoura: quanto mais oportunidades você tem, mais aberta está essa tesoura imaginária – *a tesoura do potencial.* E hoje em dia ela está mais aberta do que já esteve em qualquer outro período da história.

A sociedade moderna idolatra a liberdade individual e a crença de que quanto mais livres formos, mais felizes seremos. De acordo com essa lógica, a cada vez que a tesoura do potencial se abrisse um pouco mais, deveríamos ficar ainda mais felizes. Então por que não estamos significativamente mais felizes do que no passado?[8] Por que essa abertura contínua da tesoura do potencial é tão problemática?

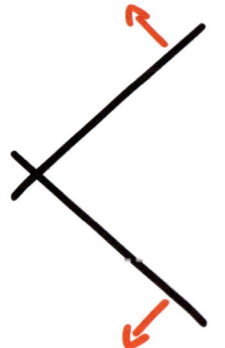

1. HOJE EM DIA HÁ UM VOLUME IMENSO DE POSSIBILIDADES. A TESOURA DO POTENCIAL CONTINUA SE ABRINDO CADA VEZ MAIS.

Mais oportunidades implicam mais escolhas – e trazem um problema inesperado: quanto mais opções existem, mais difícil é tomar uma decisão.[9] A *paralisia decisória* entra em ação. Examinar cada opção disponível consome tanta energia que você pode se ver incapaz de tomar qualquer decisão.[10] Quando isso acontece, você adia a tomada de decisões e acaba adiando também as ações. Você procrastina.

Quanto mais complicado for comparar opções, maior será sua tendência a protelar uma decisão.[11] E mais: se você dispõe de muitas opções, é provável que, mesmo se conseguir fazer uma escolha, ainda acabe se arrependendo da decisão tomada.[12] Vai ficar imaginando como teria sido se tivesse escolhido algo diferente. Vai começar a ver um monte de defeitos naquilo que escolheu.

Sabe aquela sensação de ter algo para fazer mas mesmo assim não fazer? Lembra quando foi a última vez que você protelou uma ação ou decisão? Alguma vez você não conseguiu escolher opção alguma entre as disponíveis? O que você sentiu nessas situações?

Quando a paralisia decisória aumenta, aumenta também a procrastinação.[13] Assim, protelar as coisas pode reduzir sua produtividade a uma mera fração do que ela poderia ser. E perceber que você não está realizando seu potencial completo pode levar a culpa e frustração.

2. SER EXPOSTO A OPÇÕES DEMAIS LEVA À PARALISIA DECISÓRIA. ISSO SE TORNA UMA FONTE DE PROCRASTINAÇÃO E FRUSTRAÇÃO, IMPEDINDO VOCÊ DE REALIZAR TODO O SEU POTENCIAL.

Em essência, este livro é um conjunto de ferramentas simples que vão ajudar você a explorar muito mais seu potencial no cotidiano. Para usá-las, você precisará reservar alguns minutos do seu dia, mas, em troca, ganhará várias horas de tempo produtivo.

Com nossas ferramentas, você será capaz de superar as imperfeições que se desenvolveram no cérebro humano. Elas ajudarão você a contornar as tendências, inatas e aprendidas, à ineficácia. Um bônus do combate à procrastinação é que o centro de recompensa do seu cérebro será ativado com mais frequência.[14] Portanto, você terá mais emoções positivas.

Como você se sentiu da última vez que aproveitou seu dia ao máximo, vivendo plenamente? Quando foi isso? Neste livro, você vai descobrir por que realizar seu potencial todos os dias é o caminho mais eficaz para a felicidade duradoura.

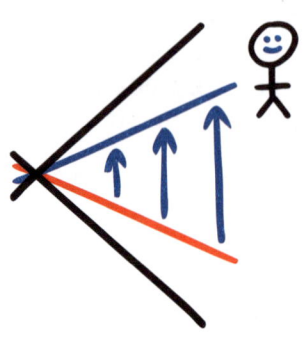

3. FERRAMENTAS SIMPLES PODEM AUMENTAR SUA EFICÁCIA. EXPLORAR SEU POTENCIAL LEVA À FELICIDADE.

Qual a melhor maneira de obter informações?

Além de explicar por que as pessoas procrastinam, este livro vai dar a você as armas para derrotar essa poderosa inimiga. Mas sobre qual base devemos construir nosso conhecimento a respeito do desenvolvimento pessoal?

Existem, hoje, 10 vezes mais estudos científicos sobre procrastinação do que havia uma década atrás.[15] O problema é que, no mundo atual, um conhecimento valioso se perde numa torrente de informações de baixa qualidade. É cada vez mais importante saber navegar na atual era da informação. O ator americano Will Rogers disse certa vez: *"Nosso problema não é saber pouco. Nosso problema é que grande parte do que sabemos não é verdade."*

Existem milhares de guias, artigos e livros de desenvolvimento pessoal. Não faz muito tempo, contei 300 desses títulos apenas numa pequena livraria. E podemos encontrar milhares de outros on-line. Essa disponibilidade maciça de informações traz muitos riscos.

O primeiro problema é que **as informações disponíveis são altamente caóticas** e, em grande parte, de má qualidade. Cada livro diz uma coisa: alguns recomendam que você crie recompensas para cada tarefa que cumprir, outros aconselham a não se recompensar de forma alguma. Alguns guias se baseiam puramente em opiniões não fundamentadas ou na experiência de um único indivíduo, que dificilmente pode servir como referência para todos. Muitos contêm mitos e meias verdades que vêm sendo transmitidos de um autor para outro.

Talvez você já tenha ouvido isto:

Pesquisadores universitários realizaram um estudo sobre a relação entre metas pessoais e realizações. Eles perguntaram aos voluntários se estes eram capazes de escrever metas de vida específicas e se no futuro estariam dispostos a compartilhar informações sobre sua renda. Somente 3% dos participantes conseguiram escrever suas metas. Vários anos depois, os pesquisadores procuraram esses mesmos participantes e descobriram que os 3% que haviam escrito suas metas tinham ganhado mais dinheiro que todos os 97% restantes juntos.

O problema é que tal pesquisa jamais foi realizada.[16] Não passa de fruto da imaginação de alguém, de lenda urbana. E livros de desenvolvimento pessoal estão repletos de mitos como esse.

O próprio volume de informações disponíveis causa um segundo problema: **amplia a paralisia decisória**. Quanto mais fontes de informação você acessa, mais difícil é escolher apenas uma e confiar nela. Em quais informações você deve basear decisões de vida importantes? Como saber em que realmente confiar?

Nos últimos anos, foram realizados muitos estudos sobre motivação, tomada de decisões e eficácia em universidades de excelência de diversos países, mas as descobertas de muitos desses estudos se perdem no caos de informações atual. É aí que surge o terceiro problema: **existe uma lacuna entre o que a ciência sabe e o que as pessoas fazem.**

INFORMAÇÕES DISPONÍVEIS:

1. SÃO **CAÓTICAS** E ESTÃO CHEIAS DE MITOS E MEIAS VERDADES.

2. PROVOCAM A PARALISIA DECISÓRIA: VOCÊ NÃO SABE EM QUE ACREDITAR OU EM QUE BASEAR SUAS DECISÕES.

3. EXISTE UMA LACUNA ENTRE O QUE A CIÊNCIA SABE E O QUE AS PESSOAS FAZEM.

O objetivo deste livro é ajudar a reduzir essa lacuna. Para poupar seu tempo, processamos as pesquisas mais recentes e relacionamos as principais descobertas. Por fim, usando todas essas informações, criamos um conjunto de *modelos visuais*: diagramas simples que ajudam a entender rapidinho como as coisas funcionam.

O filósofo Arthur Schopenhauer afirmou: *"Nada é mais difícil do que expressar ideias importantes de modo que todos as entendam."* Portanto, para melhorar a compreensão, usamos esses modelos visuais.

A parte do cérebro que processa imagens e informações visuais se chama *córtex visual*. Por se tratar de uma das partes mais desenvolvidas do cérebro humano,[17] um diagrama consegue ser mais informativo que várias páginas de texto, além de ser melhor para descrever relações e conexões complexas. Você também pode consultar as ilustrações quando esquecer o que significa algum conceito e precisar refrescar a memória rapidamente.

Por conta disso, modelos visuais são bem mais eficazes em transmitir informações do que um simples texto linear. Para nós, é uma maneira fácil de transmitir conhecimentos fundamentais.

Às vezes, intencionalmente redefinimos alguns *termos* para não haver confusão quanto ao que queremos dizer exatamente com as palavras empregadas. É uma boa ideia começar a usar o termo **procrastinação** em vez de "preguiça" ou "enrolação", porque é uma descrição bem mais correta da situação. Dar o nome certo ao problema ajuda a encontrar a solução.

SOBRE O CONTEÚDO DESTE LIVRO:

1. JÁ QUE VIVEMOS NUMA ERA DE SOBRECARGA DE INFORMAÇÕES, SELECIONAMOS PARA VOCÊ AS MELHORES INFORMAÇÕES DISPONÍVEIS.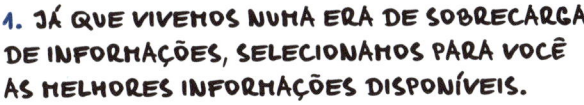

2. ESTABELECEMOS RELAÇÕES ENTRE ESSAS DESCOBERTAS.

3. POR FIM, CRIAMOS MODELOS SIMPLES, CAPAZES DE EXPLICAR RAPIDAMENTE COMO AS COISAS FUNCIONAM.

Como muitas ideias importantes já foram eloquentemente formuladas por outros antes de nós, também utilizamos citações. São simples, diretas e fornecem sínteses elegantes.

Vamos começar. Como funcionam a fundo a motivação, a eficácia e a felicidade? Como se livrar da procrastinação? Como promover mudanças duradouras e mensuráveis na sua vida?

Um sistema de desenvolvimento pessoal

Além da Introdução e da Conclusão, este livro se divide em quatro partes relativamente independentes.

A primeira parte explica como a **motivação** funciona e apresenta um conjunto de recursos para criar sua *visão pessoal* – uma ferramenta que auxiliará você a encontrar e manter a motivação intrínseca de longo prazo.

A segunda parte trata da **disciplina**, ou a habilidade de concretizar sua visão com eficácia fazendo certas atividades-chave e mantendo hábitos diários. Contém métodos claros para combater a procrastinação, ferramentas para gestão de tarefas e do tempo e ferramentas para aprender hábitos positivos e se livrar dos negativos.

A terceira parte trata dos **resultados** das suas ações e ensina métodos para conservar a felicidade, incluindo ferramentas práticas que ajudarão você a desenvolver mais estabilidade emocional. Você vai aprender a se tornar mais resistente a fracassos e a influências externas negativas.

O quarto e último tema deste livro é a **objetividade**: a capacidade de não se deixar enganar pelas falsas percepções que você tem do mundo à sua volta e de si próprio. Só depois de identificar suas falhas é que você pode começar a corrigi-las.

DESENVOLVIMENTO PESSOAL

1. MOTIVAÇÃO
2. DISCIPLINA
3. RESULTADOS
4. OBJETIVIDADE

Motivação

Todos nós nascemos e, infelizmente, um dia todos morreremos também. Nosso tempo na Terra é finito e breve. À luz desses fatos, o **tempo** é o bem mais valioso que temos na vida. Não é o dinheiro. Ao contrário do tempo, dinheiro a gente pode pegar emprestado, economizar ou ganhar mais. Não dá para fazer isso com o tempo. Cada segundo que se desperdiça é perdido para sempre.

Num discurso de paraninfo aos formandos da Universidade Stanford, Steve Jobs expressou eloquentemente a finitude da vida: *"Lembrar que estarei morto em breve é a ferramenta mais importante que já encontrei para me ajudar a fazer grandes escolhas na vida. Porque quase tudo – todas as expectativas alheias, todo o orgulho, todo o medo de passar vergonha ou fracassar – simplesmente desaparece em face da morte, deixando apenas o que é de fato importante. Lembrar que você vai morrer é a melhor maneira que conheço de evitar a armadilha de achar que tem algo a perder."*

A mera percepção de que a vida é finita nos leva a gerenciar nosso tempo com mais cuidado; nos leva a pensar como gostaríamos de passar nosso tempo aqui na Terra; nos leva a pensar qual seria nossa **visão pessoal**.

1. MOTIVAÇÃO:

Uma vez definida, sua visão vai se tornar a mais eficaz motivação imaginável e vai impulsionar você na vida como um forte ímã. Vai ajudá-lo a fazer coisas que você considera realmente significativas hoje e, ao mesmo tempo, impulsioná-lo para seu futuro ideal.

Disciplina

Existem dois lados na disciplina diária: *produtividade* e *eficácia*. O dia tem apenas 24 horas – nem mais, nem menos. Subtraia o tempo que você passa dormindo e o que sobra é tempo produtivo em potencial.

A **produtividade** expressa qual porcentagem do seu tempo de vigília você gasta fazendo coisas significativas – as atividades que contribuem para você realizar sua visão pessoal. Repouso regular, gestão do tempo e hábitos positivos podem melhorar bastante sua produtividade.

A **eficácia** determina se as atividades às quais você dedica seu tempo são ou não fundamentais, ou seja, se fazem você progredir o mais rápido possível na vida. Ser capaz de definir prioridades, desmembrar tarefas e delegar responsabilidades é crucial para melhorar a eficácia pessoal.

FUTURO

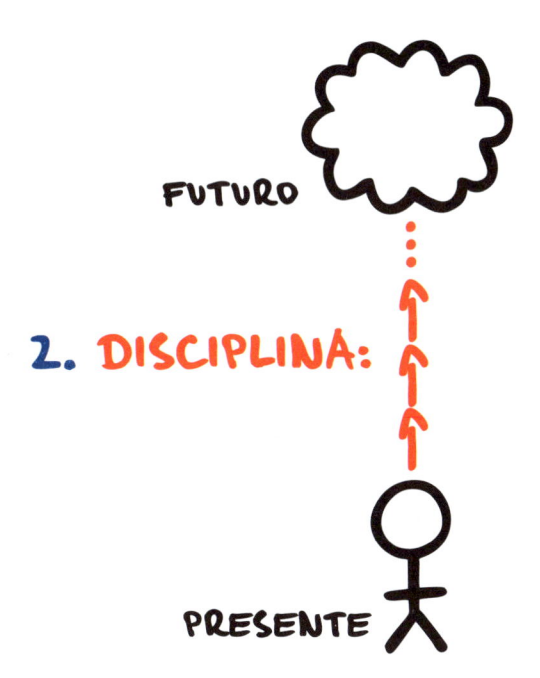

2. DISCIPLINA:

PRESENTE

Imagine sua visão como um caminho. A produtividade indica quanto tempo do seu dia você passa percorrendo esse caminho, enquanto a eficácia indica se você está dando os maiores passos possíveis. **Disciplina** é, portanto, sua capacidade de realizar ações específicas que levam à realização da sua visão pessoal.

Resultados

Como diz o velho provérbio japonês, *"Visão sem ação é devaneio. Ação sem visão é um pesadelo"*. Essa máxima aborda dois grandes problemas bastante comuns. Muitas pessoas têm várias ideias do que gostariam de fazer, mas acabam simplesmente não fazendo nada. Enquanto isso, outras fazem um monte de coisas, mas não veem propósito em suas ações.

O ideal é ter as duas: visão e ação. Quando combina ambas com sucesso, você alcança *resultados emocionais* e *materiais*.

Os **resultados emocionais** estão ligados à inundação do cérebro com *dopamina*,[18] um neurotransmissor que, quando liberado, produz a sensação de felicidade.

Os **resultados materiais** são as consequências concretas das suas ações – os frutos do seu trabalho.

3. RESULTADOS:

FUTURO

PRESENTE

EMOCIONAIS
MATERIAIS

Objetividade

O último elemento essencial do nosso sistema de desenvolvimento pessoal é melhorar a objetividade.

Anders Breivik, que matou 77 pessoas a tiros na ilha norueguesa de Utøya, provavelmente estava altamente motivado e disciplinado, e suas ações até tiveram resultados emocionais e materiais. É um caso extremo, mas que ilustra a que ponto as coisas podem chegar quando não temos objetividade suficiente.

A capacidade de aumentar sua objetividade é uma ferramenta importante para se ter à mão nos momentos em que a intuição falha. Reduzindo suas ideias preconcebidas, você vai enxergar com mais clareza como as coisas funcionam na realidade. Para melhorar sua objetividade, você precisa obter feedback sobre seu comportamento, suas ideias e suas ações. Como nosso cérebro tende a acreditar em coisas que não correspondem à realidade, precisamos estar constantemente atentos a áreas do nosso pensamento em que falte objetividade.

Como afirmou certa vez o britânico Bertrand Russell, ganhador do Prêmio Nobel e um dos matemáticos e filósofos mais importantes do século XX: *"A causa fundamental dos problemas no mundo moderno é que os idiotas estão cheios de certezas, enquanto os inteligentes estão cheios de dúvidas."*

4. OBJETIVIDADE:

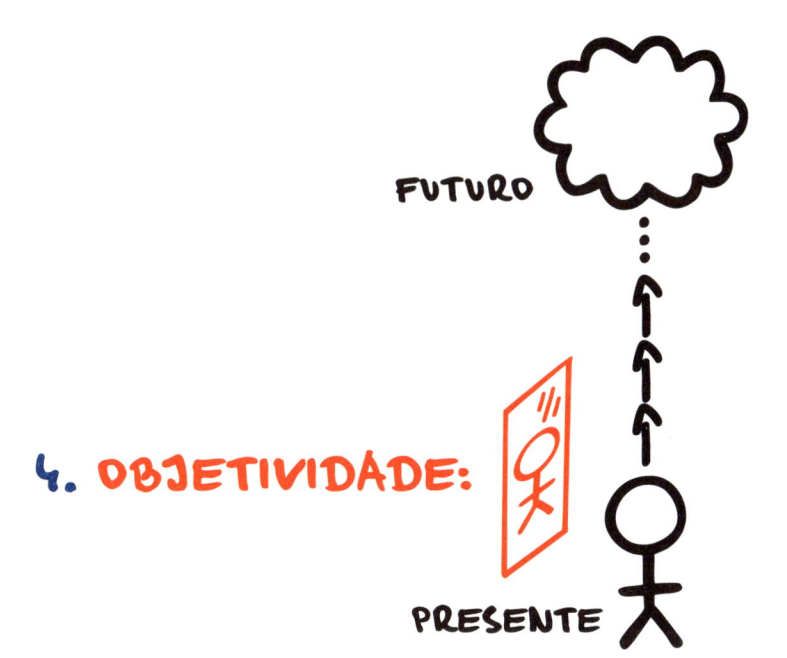

FUTURO

PRESENTE

Recapitulando o capítulo: Introdução

Procrastinação não é preguiça pura e simples, mas a incapacidade de se convencer a fazer as coisas que você deveria ou gostaria de fazer.

Se analisarmos a história humana, veremos que as pessoas têm a mania de deixar as responsabilidades para depois desde o início dos tempos.

O mundo atual favorece a procrastinação cada vez mais, e é por isso que você precisa começar a aprender a combatê-la.

Hoje em dia, temos uma quantidade de oportunidades disponíveis como nunca se viu antes. A **tesoura do potencial** está mais aberta do que em qualquer outra época.

Mais opções não nos tornam necessariamente mais felizes. É mais comum acontecer o inverso, já que o excesso de opções leva à **paralisia decisória**.

Quando está paralisado, você hesita e protela ainda mais. Assim, acaba desperdiçando tempo e, como resultado, se sente mal consigo mesmo.

Existem ferramentas simples que podem ajudar você a superar a paralisia e a procrastinação.

Quando você realiza seu potencial, o centro de recompensa do cérebro é ativado com mais frequência, liberando **dopamina** e gerando emoções positivas.

Você pode alcançar a felicidade duradoura aprendendo a viver cada dia de forma significativa e o mais plenamente possível.

A procrastinação pode ser vencida se você melhorar sua **motivação**, sua **disciplina**, seus **resultados** e sua **objetividade**.

Antes de examinarmos a motivação em mais detalhes, tente avaliar a si mesmo nessas quatro áreas, dando uma nota de 1 a 10 (1 sendo a pior e 10, a melhor).

No geral, como anda sua **motivação**? E quanto à sua **disciplina** – sua produtividade e sua eficácia? Como você classificaria seus **resultados** – sua felicidade e as consequências reais do seu trabalho? E como você classificaria suas tentativas de ser **objetivo**?

Ao final de cada capítulo você vai fazer autoavaliações como essa, para poder retornar a elas futuramente e observar seu progresso.

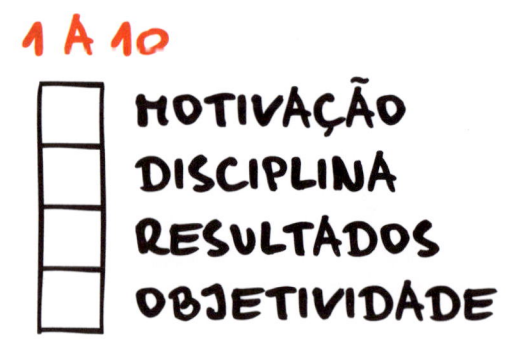

1 A 10

- ☐ MOTIVAÇÃO
- ☐ DISCIPLINA
- ☐ RESULTADOS
- ☐ OBJETIVIDADE

MOTIVAÇÃO

COMO SE TORNAR – E SE MANTER – MOTIVADO

Quando estive na Dinamarca, tive a oportunidade de passar algum tempo nos escritórios da Novo Nordisk. Mais de 30 mil funcionários trabalham atualmente nessa empresa, que é líder mundial na produção de insulina, detendo mais de 50% de participação no mercado global.[19]

Logo ao chegar, notei que as pessoas ali pareciam altamente motivadas e felizes – dos recepcionistas e faxineiros com quem cruzei no corredor até os responsáveis por desenvolver medicamentos. Como a Novo Nordisk é, afinal, uma empresa farmacêutica, pensei: será que eles colocam alguma substância "especial" na água dos funcionários? Mais tarde, quando tive a chance de passar algum tempo com os executivos, aproveitei para perguntar a eles o que faziam para que seus colaboradores estivessem tão satisfeitos e motivados. A explicação que recebi foi surpreendentemente simples. Então, qual é o segredo da motivação?

Seja na vida profissional ou em outros domínios, existem **diversos tipos de motivação**. Alguns fazem mais mal do que bem, e é por isso que precisamos descobrir qual é o mais proveitoso para cada um de nós. O tipo certo de motivação para você vai fazê-lo procrastinar menos, vai se tornar seu combustível no dia a dia e vai conduzi-lo pelo caminho da felicidade duradoura.

Motivação extrínseca: recompensas e punições

Não faz muito tempo, fui me encontrar com um cliente novo. Após conversarmos um pouco, ele começou a descrever como vinha se sentindo nos últimos anos. Confidenciou-me que faltava sentido à sua vida. Ele até cogitara o suicídio em várias ocasiões. Perguntei quanto tempo ele passava fazendo coisas que realmente queria fazer e, em contraste, quanto tempo passava fazendo coisas que precisava fazer – coisas que os outros esperavam que fizesse. Durante nossa conversa, aos poucos ficou claro que ele era impelido quase totalmente pela *motivação extrínseca*.

Como você se sente quando precisa realizar algo em que não vê sentido? Como se sente gastando seu tempo em obrigações ou atividades que não tem vontade de fazer?

Pesquisas recentes mostraram que costumamos achar desagradáveis e desmotivadoras aquelas atividades que não fazem sentido para nós.[20] Essas tarefas (digamos, decorar datas e fórmulas na escola ou quaisquer atividades no trabalho nas quais você não vê nenhum propósito) são desestimulantes. Não admira que as pessoas enrolem para fazê-las.

Os motivadores extrínsecos – a cenoura e o porrete, isto é, as **recompensas e punições** – foram criados para nos forçar a fazer esses tipos de coisa que vão contra nossa vontade. Sem esses estímulos externos, jamais passaria pela nossa cabeça fazê-las.

Só que a motivação extrínseca possui várias grandes desvantagens. Quando fazemos algo que não queremos, ficamos menos felizes. Nosso cérebro libera menos dopamina, substância que, além de influenciar a felicidade, impacta a criatividade, a memória e a capacidade de aprendizado.[21] Outra desvantagem é que a infelicidade criada pela motivação extrínseca é socialmente contagiosa: pessoas descontentes deixam aquelas à sua volta descontentes também.[22]

Era a motivação extrínseca que fazia os servos lavrarem os campos durante o feudalismo, os escravos das galés remarem na Roma Antiga e os operários trabalharem nas primeiras fábricas da Revolução Industrial. Essas tarefas não envolviam quase nenhuma criatividade. Atualmente, porém, a maioria das tarefas que realizamos exige uma abordagem criativa. Precisamos analisar os problemas com bastante atenção e, não raro, temos que improvisar ou buscar soluções não convencionais.

Muitos estudos já confirmaram que os motivadores extrínsecos reduzem o desempenho em atividades que exigem algum trabalho mental e criatividade, mesmo que pouco.[23] E não importa se a motivação vem da cenoura ou do porrete:[24] o efeito psicológico de esperar uma recompensa e não a receber é semelhante ao de sofrer uma punição.

Em geral, o porrete imaginário pendendo sobre nós faz com que desprezemos a tarefa a cumprir.[25] E esse porrete pode vir em formas variadas: pode ser o financiamento que impede a pessoa de se demitir do emprego que odeia, podem ser pais impondo aos filhos um hobby ou uma profissão, pode ser o chefe que manda seus subordinados fazerem coisas sem explicar por quê... A aversão é um resultado natural dos estímulos extrínsecos e muitas vezes leva ao aumento da procrastinação.

MOTIVAÇÃO EXTRÍNSECA:

PORRETE

A MOTIVAÇÃO EXTRÍNSECA DEIXA VOCÊ INFELIZ. O CÉREBRO LIBERA MENOS DOPAMINA, REDUZINDO SUA CRIATIVIDADE E PREJUDICANDO SUA CAPACIDADE DE APRENDIZADO. AS EMOÇÕES NEGATIVAS PRODUZIDAS SÃO SOCIALMENTE CONTAGIOSAS.

Pessoas acostumadas a funcionar com a motivação extrínseca perdem a capacidade de trabalhar com independência: se o porrete desaparece, não conseguem se motivar. As notas escolares são um bom exemplo de motivação extrínseca. Os alunos se acostumam a estudar para tirar boas notas, mas, depois que se formam e essa pressão desaparece, muitos param de se instruir. A motivação extrínseca suprime a capacidade de iniciativa futura nas pessoas, que, sem o porrete, não conseguem fazer quase nada.

Meu cliente havia sido dominado pela motivação extrínseca durante quase toda a vida. A infelicidade, a incapacidade de aprender coisas novas e sua criatividade assassinada o fizeram perder o gosto pela vida.

A primeira boa notícia neste capítulo é que existe uma maneira de sair do raio de ação do porrete. Sim, você pode escapar da armadilha da motivação extrínseca. Mas tome cuidado, já que muitos livros e coaches podem fazê-lo apenas trocar de armadilha, promovendo uma "cura" na forma da *motivação intrínseca baseada em metas*.

Motivação intrínseca baseada em metas: alegria que não dura

"Petr, pense o que deixaria você feliz. Imagine as coisas em detalhes. Você vê um carro? Imagine exatamente qual seria a cor, a marca, o tipo de motor desse carro. Vá a uma concessionária e se sente ao volante... Anote todos os seus desejos num papel minuciosamente. De preferência, encontre fotos que os representem. Não deixe de estabelecer um prazo para realizar cada um deles. Agora, deixe tudo isso num lugar em que fique bem visível. Essas serão suas metas. Essas coisas são o que vai lhe dar motivação."

Era assim que funcionavam as sessões com meu primeiro coach de desenvolvimento pessoal. Ele motivava as pessoas explorando seus sonhos e objetivos de vida.

No decorrer da minha carreira, conheci diversas pessoas que quase foram destruídas por esse tipo de motivação. Como indicam vários estudos, a motivação baseada em metas pode melhorar a produtividade, mas não leva à felicidade duradoura.[26] Pelo contrário: contribui para uma inesperada frustração e uma estranha forma de vício, não muito diferente da fissura por cocaína.[27]

Por que a motivação baseada em metas é tão traiçoeira? O que está por trás disso?

Estabelecer metas envolve o uso do *córtex pré-frontal*,[28] a parte do cérebro que nos permite sonhar quando dormimos e visualizar mentalmente coisas que ainda não existem. O córtex pré-frontal é o que faz do ser humano o único animal capaz de pensar sobre o próprio futuro.[29]

MOTIVAÇÃO INTRÍNSECA BASEADA EM METAS:

1. O CÓRTEX PRÉ-FRONTAL IMAGINA A FELICIDADE FUTURA E CRIA UMA META.

O que faria você feliz? O parceiro dos seus sonhos e dois filhos saudáveis? Terminar a faculdade ou dobrar seu salário? Que tal uma casa nova com piscina, férias longas ou algo diferente com que você vem sonhando?

Além de imaginar nitidamente suas metas, o córtex pré-frontal também consegue visualizar a felicidade que você vai sentir depois que atingi-las.

Lembre-se: metas são, de fato, fortes motivadores. Ao contrário do que acontece com a motivação extrínseca, pessoas motivadas por metas fazem as coisas porque realmente querem fazer, por isso trabalham com grande afinco.

No entanto, essas pessoas não são muito felizes, já que sua situação atual não corresponde às suas expectativas e aos seus desejos. Como ainda não possuem o carro desejado, ou seja, aquilo que as impele adiante na vida, estão sempre com a sensação de que falta algo. Não estão felizes com o presente. Por isso, no caminho até atingir sua meta, não obtêm com frequência os benefícios associados a níveis maiores de dopamina: melhora na atividade cerebral, mais criatividade e capacidade de efetivamente aprender coisas novas.

As metas impelem as pessoas para a frente, fazendo-as trabalhar com afinco, o que significa que cedo ou tarde de fato alcançarão seus objetivos. Quando isso enfim ocorre, uma dose única de dopamina é liberada, resultando em uma emoção intensa: um tipo de felicidade que chamamos de *emoção da alegria*.[30] O córtex pré-frontal só não contava com algo que vem em seguida: entra em ação um fenômeno conhecido como *adaptação hedônica*.[31]

2. NO CAMINHO ATÉ SUA META, VOCÊ NÃO ESTÁ FELIZ PORQUE AINDA NÃO A ATINGIU.

Tente lembrar como foi passar numa prova difícil na faculdade ou concluir um projeto desafiador no trabalho. Tente lembrar como você se sentiu na última vez que comprou algo que realmente queria. Qual foi a sensação logo que isso aconteceu? Dois dias depois, suas emoções tinham a mesma intensidade que na hora da conquista? E após uma semana?

A **adaptação hedônica** faz as pessoas inesperadamente se acostumarem com a meta alcançada. Passados alguns minutos ou horas, no máximo dias, as sensações positivas tendem a desaparecer. Se alguma vez você trocou de carro, talvez tenha se surpreendido ao constatar que, uma semana depois, já estava começando a achar o novo veículo quase sem graça. Após poucos dias, suas emoções já estavam muito mais fracas do que imediatamente após a compra.

Mesmo que você alcance o patamar máximo de conquista – por exemplo, se ganhar o Prêmio Nobel ou conquistar uma medalha de ouro nas Olimpíadas –, em questão de poucas semanas essas realizações já quase não terão efeito sobre sua felicidade.[32] Em pouco tempo vão parar de escrever a seu respeito nos jornais e aos poucos você cairá no esquecimento. Mais uma vez, a adaptação hedônica terá levado a melhor sobre você.

3. ALCANÇAR UMA META GERA ALEGRIA TEMPORÁRIA, MAS A ADAPTAÇÃO HEDÔNICA FAZ VOCÊ SE ACOSTUMAR RÁPIDO À REALIZAÇÃO, DE MODO QUE AS EMOÇÕES POSITIVAS LOGO DESAPARECEM.

Um estudo mediu o nível de felicidade de ganhadores da loteria logo após receberem o prêmio,[33] ao mesmo tempo que avaliou como se sentiam pessoas que tinham ficado paralíticas havia pouco tempo. Os resultados indicaram que, após um ano, ambos os grupos apresentavam quase o mesmo nível de felicidade. O ser humano se adapta mesmo ao que é inesperado.

Algumas pessoas sentem muita inveja. Porém, da perspectiva da adaptação hedônica, a inveja não é algo razoável. Ainda que essas pessoas conseguissem obter o que tanto invejam, a adaptação hedônica não permitiria que se sentissem mais felizes, pois logo se acostumariam ao que antes tanto desejavam.

Amplos estudos sobre a relação entre dinheiro e felicidade chegaram a uma conclusão clara: o dinheiro afeta a felicidade apenas até o ponto em que ajuda a garantir as suas necessidades básicas e as da sua família.[34] Desse ponto em diante, ter mais dinheiro não faz muita diferença em termos de felicidade.

COMO O DINHEIRO INFLUENCIA A FELICIDADE:

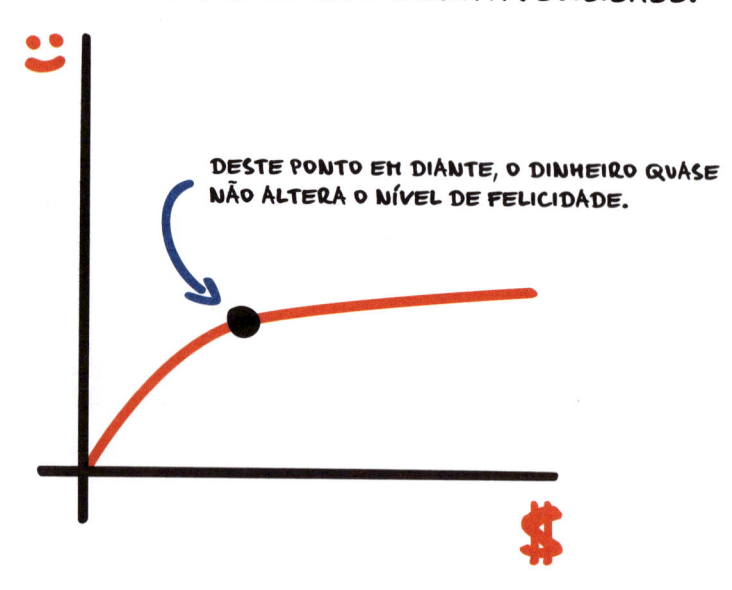

DESTE PONTO EM DIANTE, O DINHEIRO QUASE NÃO ALTERA O NÍVEL DE FELICIDADE.

O ponto fraco do córtex pré-frontal é que, apesar de ser excepcional quando se trata de visualizar metas e a felicidade que você vai sentir ao alcançá-las, ele não consegue prever que essa emoção positiva vai durar muito pouco. O córtex pré-frontal é incapaz de prever a adaptação hedônica.

Se você está ansioso por um carro novo, seu cérebro consegue imaginar a alegria que você vai sentir logo que o comprar, mas não consegue enxergar mais à frente e perceber que essa alegria será temporária. Esse é um dos principais motivos de estarmos sempre nos enganando quando julgamos nosso nível de felicidade futura.

Como pessoas motivadas por metas reagem à adaptação hedônica? Simples: uma vez alcançada a meta desejada e esgotadas suas emoções positivas, elas definem **outra meta, ainda maior**: "Acho que o Audi não me deixou feliz. Mas um Porsche vai deixar." E a corrida recomeça. Elas continuam não se sentindo felizes a caminho dessa nova meta, porque ainda não a alcançaram, mas se esforçam muito, e talvez consigam novamente o que desejam. Então virá a alegria – que logo vai desaparecer também, por força da adaptação hedônica. O que as pessoas fazem, então? Elas definem uma meta ainda maior. E assim o ciclo se repete, vezes sem conta.

A alegria produzida por uma meta alcançada afeta a mesma parte do cérebro que é ativada pelo barato da cocaína.[35] Assim, a alegria pode levar aos denominados *vícios da excitação*.[36] Os vícios em pornografia, videogames e esportes radicais pertencem a essa mesma categoria.

**4. VOCÊ CRIA UMA META MAIOR.
O CICLO SE REPETE,
E VOCÊ PODE VIRAR UM
VICIADO EM METAS.**

Com o tempo, pessoas viciadas em adrenalina precisam saltar de penhascos cada vez mais altos e praticar atividades cada vez mais radicais para conseguirem sentir a mesma euforia. Pessoas viciadas em pornografia precisam assistir a vídeos cada vez mais pervertidos para atingir o mesmo nível de excitação que sentiam antes. Da mesma forma, indivíduos motivados por metas precisam estabelecer objetivos cada vez mais altos. Tornam-se o que chamamos de *viciados em metas*. Eles podem ter casas grandes e carros caros, bem como os cargos com que sempre sonharam, mas, apesar de tudo isso, só conseguem sentir breves arroubos de felicidade. Vivem deprimidos; têm tudo, exceto o bem-estar duradouro.

A primeira boa notícia deste capítulo foi a de que é possível escapar do porrete da motivação extrínseca. A segunda boa notícia é que existe uma alternativa à motivação intrínseca baseada em metas. É a denominada *motivação intrínseca baseada na jornada*, que traz os benefícios da intensidade da motivação intrínseca, só que com a vantagem de evitar a adaptação hedônica, conseguindo assim manter você mais feliz no momento presente.

Motivação intrínseca baseada na jornada: felicidade agora

Afinal, qual substância especial eles colocavam na água do pessoal da Novo Nordisk? Qual era o segredo? Nos encontros que tive com os executivos, descobri que os funcionários estavam sempre motivados e felizes porque a empresa tinha visão e valores bem fortes. O propósito do trabalho deles era melhorar a vida das pessoas diabéticas.[37]

Algumas histórias que ouvi me confirmaram que a declaração de visão da Novo Nordisk não é uma frase vazia. Meus anfitriões me contaram, por exemplo, que durante a Segunda Guerra Mundial a empresa forneceu insulina gratuita a ambos os lados do conflito e que o NovoPen, instrumento para injetar insulina, foi concebido especialmente para não causar dor. Quase todo funcionário, não importando seu cargo, consegue se identificar com a causa mais alta expressa nessa visão de melhorar a vida de quem sofre de diabetes. Quando as pessoas veem sentido no que fazem, e ainda mais quando desejam realmente fazer aquilo, surge uma das formas mais fortes de motivação: a **motivação intrínseca baseada na jornada**.

Esse tipo de motivação, o terceiro que discutimos aqui, se baseia na ideia de ter uma **visão pessoal**. Ao contrário de perseguir metas, um processo que sabemos ser prejudicado pela adaptação hedônica, a visão pessoal é a expressão de algo duradouro. Uma visão pessoal responde à questão de como você gostaria de passar seu tempo na vida. Ela é voltada para as ações, não para os resultados; se concentra na jornada, não no destino. É como diz o velho adágio: "*A jornada é o destino.*"

MOTIVAÇÃO INTRÍNSECA BASEADA NA JORNADA:

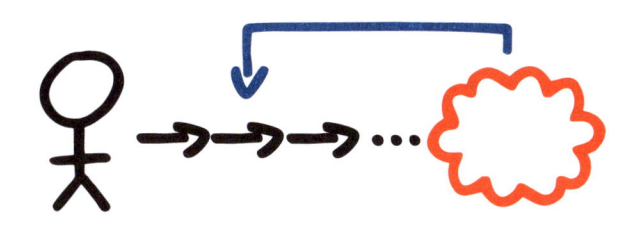

1. A VISÃO PESSOAL NÃO SE CONCENTRA EM METAS, MAS NA JORNADA. ELA DESCREVE QUE TIPOS DE ATIVIDADE VOCÊ GOSTARIA DE PASSAR SUA VIDA FAZENDO.

Você pode definir *marcos* para o seu caminho até alcançar sua visão. Marcos são uma maneira de verificar se você está indo na direção certa e se realmente vem avançando. A diferença entre metas e marcos é que, quando as pessoas são motivadas por metas, elas se esforçam apenas para alcançá-las, e, quando definem marcos, elas os utilizam como auxílio, como referências para saber se estão mesmo indo na direção certa.

Por exemplo, terminar de escrever este livro não é uma meta para mim, é um marco. Se tudo der certo, vou saber que fiz algo real, alinhado com minha visão pessoal. Não estou escrevendo só para dar por encerrada uma tarefa, mas para ajudar as pessoas a empregar melhor seu tempo e desenvolver seu potencial.

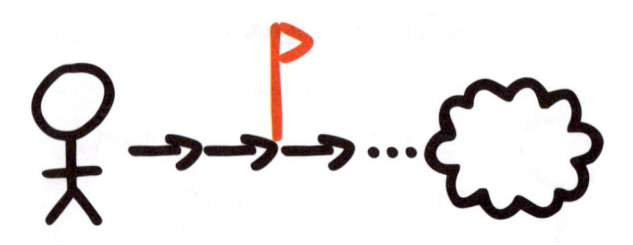

2. VOCÊ PODE ESTABELECER MARCOS AO LONGO DO CAMINHO. MARCOS SÃO DIFERENTES DE METAS PORQUE SERVEM COMO INDICADORES, MOSTRANDO SE VOCÊ ESTÁ INDO NA DIREÇÃO CERTA.

O maior benefício da motivação baseada na jornada é que ela proporciona felicidade no presente com mais frequência. Você não precisa alcançar uma meta para ser feliz, nem sente as emoções negativas causadas pelo porrete da motivação extrínseca.

A motivação baseada na jornada vai fazer você se sentir mais vezes num estado de *felicidade agora*, ou seja, satisfeito com sua situação atual. Se o que você faz está de acordo com a sua visão, a sensação é de que tudo vai bem. O que não significa que você esteja parado, porque sua visão exerce o efeito motivacional de impulsioná-lo adiante.

Se suas ações o ajudam a realizar sua visão, é porque você está fazendo exatamente o que gostaria de fazer. Assim você fica mais feliz e seu cérebro é inundado de dopamina. Isso também o deixa mais criativo, faz seu cérebro e sua memória funcionarem melhor e aumenta sua capacidade de aprendizado. Dessa maneira, você melhora constantemente suas habilidades para fazer aquilo que o levará à realização da sua visão. E quanto mais você melhora, mais ainda pode melhorar. Esse *ciclo positivo* pode ajudá-lo a alcançar a verdadeira *excelência*. É por isso que pessoas motivadas por sua visão conseguem coisas que nem o maior porrete nem as maiores metas são capazes de produzir.

3. A VISÃO EXPRESSA ALGO DURADOURO, POR ISSO NÃO É AFETADA PELA ADAPTAÇÃO HEDÔNICA. COMO NÃO TEM METAS A PERSEGUIR, VOCÊ SE SENTE MAIS FELIZ AGORA, NO PRESENTE.

Estudos mostram que os mais bem-sucedidos atletas, cientistas, artistas e empresários têm algo em comum:[38] as atividades que eles realizam levam ao *estado de fluxo*. O fluxo acontece quando enfrentamos um desafio e empregamos nossas forças e habilidades.[39] Ficamos totalmente absorvidos por aquela atividade. O tempo para. Ao contrário da **alegria**, que só acontece por um período breve depois que atingimos uma meta, o **estado de fluxo** pode liberar dopamina por um período longo.

ALEGRIA   FLUXO

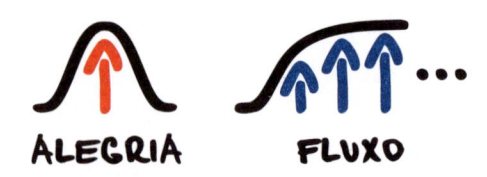

EM COMPARAÇÃO COM A ALEGRIA, A DOPAMINA E A FELICIDADE QUE SÃO LIBERADAS DURANTE O ESTADO DE FLUXO TÊM EFEITO MAIS DURADOURO.

Os estudos aqui mencionados sobre fluxo e adaptação hedônica indicam que não se encontra felicidade duradoura em bens materiais, metas ou estados, apenas na jornada, no caminho para realizar sua visão, em fazer coisas que sejam significativas para você.

4. O FLUXO ACONTECE EM SITUAÇÕES EM QUE VOCÊ UTILIZA SEUS PONTOS FORTES AO MESMO TEMPO QUE SE SENTE DESAFIADO. A DOPAMINA É LIBERADA DE MANEIRA MAIS PROLONGADA, AMPLIANDO A CRIATIVIDADE, A CAPACIDADE DE APRENDIZADO E A FELICIDADE. CADA PASSO RUMO A SUA VISÃO DEIXA VOCÊ MAIS PRÓXIMO DA EXCELÊNCIA.

Essa abordagem é o exato oposto do pensamento clássico de que *"A felicidade vem dos resultados"*. Na realidade, paradoxalmente, é o inverso. Primeiro precisamos encontrar a **felicidade**, e graças a ela teremos **resultados**. Como proclamou Albert Schweitzer, laureado com o Prêmio Nobel da Paz em 1952: *"O sucesso não é o segredo para a felicidade. A felicidade é que é o segredo para o sucesso. Se você adora o que está fazendo, vai ser bem-sucedido."*

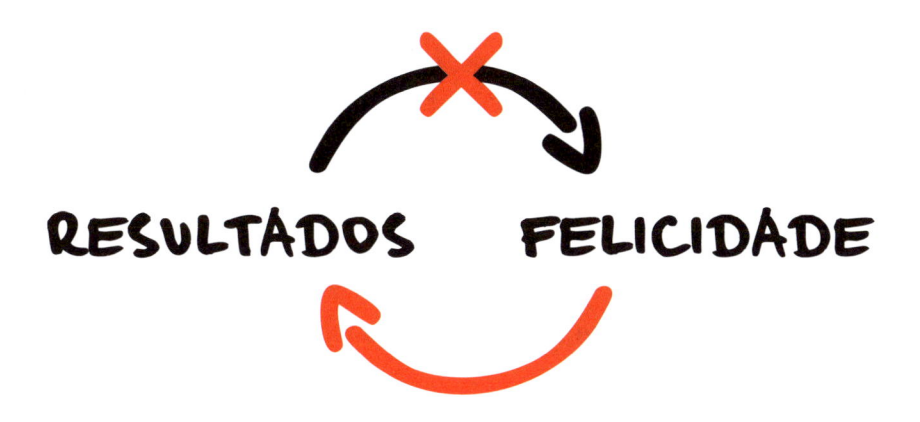

Por que o sentido é tão importante

Certa noite, logo depois de estacionar no centro da cidade e saltar do carro, vi uma van arrancar a poucos metros de onde eu estava e bater num carro estacionado. O motorista da van deve ter percebido o que fez, mas seguiu seu caminho. Por um momento fiquei ali parado, olhando, atordoado.

Quando me recompus, peguei meu carro e fui atrás da van. Alcancei o sujeito a três quarteirões dali. Ultrapassei o veículo e parei, bloqueando seu caminho, então saltei e peguei o celular para tirar uma foto da placa e da parte da van que havia sido danificada na batida. Depois, retornei ao local do incidente e deixei no para-brisa do carro atingido um bilhete com meu contato e uma breve explicação do que acontecera.

Alguns dias depois, o proprietário do carro foi me encontrar. Ele encontrara meu bilhete. Um senhor distinto, trajando um blazer, contou que tudo tinha sido resolvido com a seguradora e que o conserto fora feito. Ele me contou que era cirurgião-chefe de um hospital próximo – um homem que passava o dia inteiro, da manhã à noite, ajudando os outros. Mas mesmo assim não ignorou meu esforço relativamente pequeno e foi me agradecer. Naquele momento, senti uma das mais fortes emoções possíveis: a emoção associada ao propósito, ou o que denominamos *emoção do sentido*.

Tudo que fazemos na vida pode ser dividido em dois tipos de atividade. O primeiro são as coisas que fazemos para nós mesmos. Elas incluem, por exemplo, comportamentos que garantem nossas necessidades básicas, nossa sobrevivência e nosso desenvolvimento. Nós as chamamos de *atividades do ego 1.0*. O outro tipo são as ações altruístas, aquelas que fazemos não para nós mesmos, mas para os outros, com boas intenções. Nós as chamamos de *atividades do ego 2.0*. Essas são as ações capazes de produzir um sentimento forte – a **emoção do sentido** –, resultando em um terceiro tipo de felicidade além daqueles criados pela **alegria** e pelo **estado de fluxo**.

5. ATOS ALTRUÍSTAS SÃO RECOMPENSADOS COM UM SENTIMENTO FORTE: A EMOÇÃO DO SENTIDO.

Por que é bom incluir elementos de altruísmo e atividades do ego 2.0 na sua visão pessoal? Por que as emoções positivas são mais fortes quando praticamos ações que têm um propósito "mais elevado"? Por que partes do nosso cérebro se desenvolveram em reforço a esse tipo de comportamento?

Para ilustrar isso, imagine uma **unidade** de algo. Pode ser um átomo, uma molécula ou uma célula, ou mesmo uma formiga, um elefante ou um ser humano. Imagine que esse elemento individual tenha um

potencial imaginário que está tentando realizar: um átomo tenta se ligar a outros, um glóbulo branco tenta matar bactérias nocivas, uma pessoa tenta realizar sua visão pessoal.

CRIAÇÃO DE SINERGIA

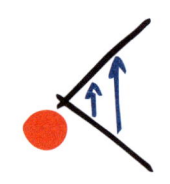

1. UMA UNIDADE/INDIVÍDUO TENTA REALIZAR SEU POTENCIAL.

Se existem muitas unidades próximas umas das outras, mais cedo ou mais tarde ocorrerá a *auto-organização* – processo em que as unidades começam, espontaneamente, a se juntar e criar **comunidades** que lhes permitam realizar seu potencial de maneira mais eficaz. A auto-organização ajuda a criar espaço para a cooperação, ou o que se denomina *sinergia de grupo*. Desse modo, o todo se torna maior do que a soma de suas partes (1 + 1 = 3).

E tem mais. O fenômeno da auto-organização ocorre não apenas em nível individual, mas também em nível coletivo. Mais cedo ou mais tarde, esses grupos se juntam, formando comunidades, que os ajudam a funcionar ainda melhor. E por aí vai. A auto-organização ocorre desde a microescala até a macroescala. Átomos se combinam e formam moléculas, moléculas se combinam e formam células, células se combinam e formam organismos, organismos se combinam e formam comunidades, e assim por diante.

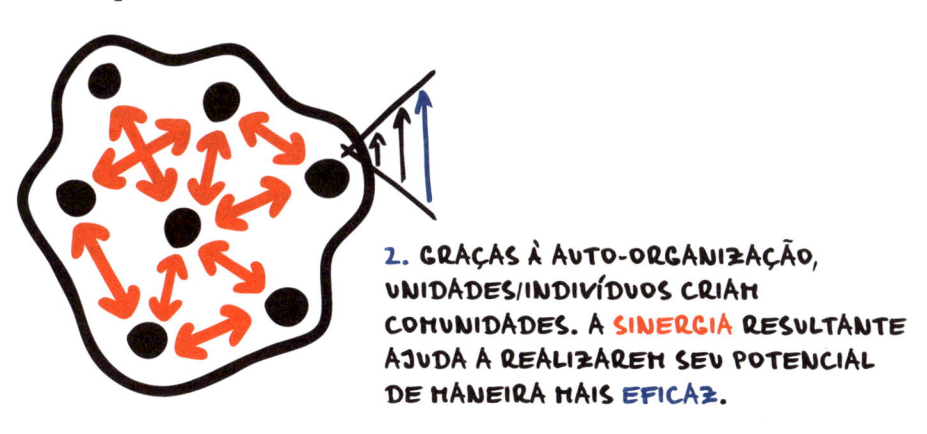

2. GRAÇAS À AUTO-ORGANIZAÇÃO, UNIDADES/INDIVÍDUOS CRIAM COMUNIDADES. A SINERGIA RESULTANTE AJUDA A REALIZAREM SEU POTENCIAL DE MANEIRA MAIS EFICAZ.

A auto-organização tem sido responsável por muitos pontos de virada na evolução da vida na Terra. Pense, por exemplo, no *Volvox globator*, um organismo unicelular que, em certo ponto de sua história evolutiva, passou por uma grande transição em seu estilo de vida: organismos individuais deixaram de viver separados e começaram a formar grandes colônias esféricas.[40] Essas colônias, compostas de centenas de organismos individuais, eram capazes de se movimentar melhor e de trabalhar melhor como grupo. Elas se tornaram um símbolo da transformação de organismos unicelulares em multicelulares.

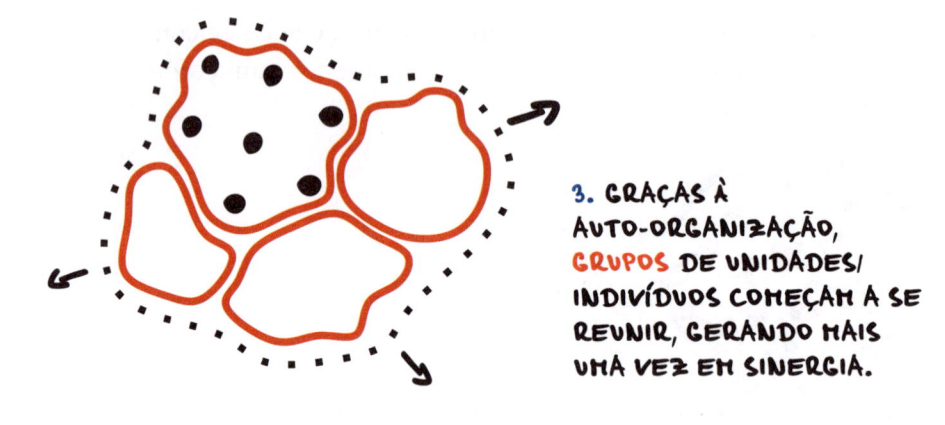

3. GRAÇAS À AUTO-ORGANIZAÇÃO, GRUPOS DE UNIDADES/INDIVÍDUOS COMEÇAM A SE REUNIR, GERANDO MAIS UMA VEZ EM SINERGIA.

O mesmo ocorreu com as vespas solitárias, que mais de 100 milhões de anos atrás começaram a cooperar entre si para fazerem vespeiros, até darem origem às atuais abelhas, formigas e outras espécies de insetos sociais que colonizaram o mundo inteiro.[41] As células do nosso corpo também são um indício da auto-organização. Elas contêm organelas chamadas mitocôndrias, cujo DNA é completamente diferente do DNA do núcleo celular. Isso se explica pelo fato de que, em algum momento da evolução, as mitocôndrias provavelmente foram organismos independentes.[42]

O momento em que nossos ancestrais começaram a se reunir em torno da fogueira comunitária foi um divisor de águas na evolução da sociedade humana. As comunidades que se desenvolveram a partir daí foram superiores na divisão do trabalho, na troca de produtos e na autoproteção, além de capazes de disseminar melhor as ideias, tecnologias e culturas.[43] O que deu apoio a esse tipo de desenvolvimento? Por que os seres humanos evoluíram de modo a se tornarem cooperativos?

A teoria da evolução de Darwin se baseia na sobrevivência do mais apto. Indivíduos mais aptos têm capacidade maior de procriar e transmitir seus traços à prole. Os incapazes de competir perecem e suas informações genéticas se perdem. Mas Darwin também descreveu o que se conhece por *seleção de grupo*. Tal como acontece com os indivíduos, grupos de indivíduos também competem entre si pela sobrevivência.[44]

Imagine duas tribos de caçadores de mamutes pré-históricos. Uma dessas tribos atua em grupo: cada um tem suas tarefas a cumprir, as pessoas se protegem mutuamente e a comida é dividida entre todos quando um mamute é abatido. A outra tribo é um grupo de individualistas egoístas: todos esperam que outra pessoa arrisque sua pele na caçada, eles atuam cada um por si e, se mesmo assim conseguem abater um mamute, acabam disputando quem vai ficar com o maior pedaço de carne. Qual das duas tribos tem mais chances de sobreviver?

A abordagem científica denominada *teoria dos jogos*, laureada com o Prêmio Nobel de Economia em 1994, prova, de um ponto de vista matemático, que é preferível atuar em grupo e agir de forma altruísta.[45] A longo prazo, isso é mais vantajoso que um comportamento puramente egoísta. Quanto mais indivíduos cooperativos existem num grupo, maiores são as chances de esse grupo sobreviver.

Os seres humanos pré-históricos provavelmente não estavam familiarizados com a teoria dos jogos e, portanto, não podiam basear suas ações nela, mas mesmo assim começaram a agir em grupo. Por quê?

SELEÇÃO DE GRUPO:

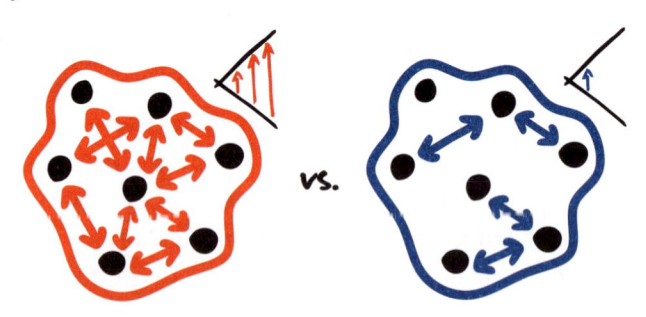

GRAÇAS À SELEÇÃO DE GRUPO, OS GRUPOS COM INDIVÍDUOS MAIS COOPERATIVOS TÊM MAIS CHANCES DE SOBREVIVÊNCIA.

Aos poucos as emoções evoluíram com o propósito de dar apoio ao comportamento racional. Por exemplo, tal como a sensação de sede nos lembra de bebermos água para não morrermos desidratados, provavelmente foi assim que evoluiu a **emoção do sentido** – nossa recompensa por cooperarmos e agirmos com altruísmo. Essa emoção ajuda na auto-organização e nas **atividades do ego 2.0**.

Desde o início da história humana que pensadores tentam descobrir como definir o **bem** e o **mal**. Do ponto de vista da auto-organização, ações motivadas pelo ego 2.0 podem ser classificadas como *bem elementar*. Os indivíduos podem fazer coisas que ajudam não apenas a si próprios como outros indivíduos e as comunidades de que fazem parte. Essa capacidade de cooperar com altruísmo leva ao desenvolvimento tanto de indivíduos quanto de grupos inteiros.

O oposto do bem elementar seria o *mal elementar*: o comportamento egoísta, pelo qual um indivíduo prejudica outros indivíduos e a comunidade à qual pertence visando ao benefício próprio. Tomemos como exemplo o crescimento desenfreado de células cancerosas, que prejudica o corpo de seu hospedeiro.

O poder da visão de grupo

"Precisamos nos agrupar. Se você quer mudar o mundo, precisa se agrupar, precisa ser colaborativo." Essa ideia, defendida pelo filósofo suíço Alain de Botton, contém a chave da *motivação de grupo*.

Quando todos os membros de um grupo possuem valores e **visões pessoais** similares, fica bem mais fácil fundar movimentos, organizações e outras associações capazes de realmente impulsionar as coisas para a frente. Se as pessoas criam uma **visão de grupo**, o resultado é uma motivação de grupo bem forte. Se a sua visão pessoal corresponde à visão da comunidade da qual você faz parte, você vai sentir a emoção compartilhada do sentido. Essa emoção tem sido uma das forças propulsoras mais importantes na história humana – ela derrubou ditadores, promoveu revoluções e gerou outras mudanças que transformaram o mundo.

Existem vários exemplos de como essa emoção compartilhada do sentido pode ser experimentada por pessoas no mundo inteiro. Praticamente todas as religiões se sustentam nesse princípio, torcedores de times esportivos a experimentam e ela pode ser documentada nas experiências de veteranos combatentes.[46]

A motivação de grupo baseada em valores e visão compartilhados é também o fator central para a dedicação dos funcionários na maioria das empresas inspiradoras que visitei. A visão da Novo Nordisk, que proporciona aos seus funcionários um sentido mais profundo, é apenas um exemplo disso.

O escritor Simon Sinek expressou o poder da visão de grupo: *"Se você contrata pessoas só porque elas conseguem realizar um trabalho, elas trabalharão pelo seu dinheiro. Mas se você contrata pessoas com as mesmas crenças que você, elas vão dar sangue, suor e lágrimas em seu trabalho."*

Então, qual é o melhor tipo de motivação?

Se você quiser combater a procrastinação e ser feliz, precisa escolher o tipo certo de motivação – que, como indicam as pesquisas, não vai ser a motivação extrínseca (baseada no porrete) nem a motivação intrínseca baseada em metas. O tipo mais eficaz de motivação envolve se livrar de punições e metas e criar uma visão pessoal que desperte em você a motivação intrínseca baseada na jornada.

VISÃO DE GRUPO:

⇅ ⇅ ⇅

VISÃO PESSOAL:

QUANDO PESSOAS COM VALORES E VISÕES PESSOAIS SEMELHANTES SE UNEM, CRIA-SE UMA **MOTIVAÇÃO DE GRUPO** BEM FORTE.

No entanto, sua visão não seria um motivador tão forte se envolvesse apenas atos egoístas (do ego 1.0). Somente atividades capazes de resultar no bem elementar (atos altruístas, do ego 2.0) conseguem gerar a emoção do sentido, que é uma das mais fortes que se pode sentir.

Esse tipo de motivação vai impulsionar você adiante constantemente, impelindo-o como se fosse um ímã forte. Ao mesmo tempo, você vai alcançar o estado de fluxo e obter a emoção do sentido, que lhe trarão muitos sentimentos positivos. Assim, vai se ver no estado duradouro de felicidade no momento presente.

Se você se cerca de pessoas com visões semelhantes, consegue colaborar com elas e criar uma comunidade. Assim surge a motivação de grupo, ampliando os efeitos da sua visão pessoal.

Como criar uma visão pessoal? Se você não tem ideia, não se preocupe. É o que vamos ver na próxima parte deste livro.

FERRAMENTA: visão pessoal

"Seu tempo é limitado, portanto não o desperdice vivendo a vida de outra pessoa. Não se prenda a dogmas – que é viver conforme os resultados do pensamento de outras pessoas." Essa é uma das ideias proferidas por Steve Jobs em seu discurso para os formandos da Universidade Stanford em 2005.

Escolher o tipo certo de motivação é crucial para seu desenvolvimento pessoal e a redução da procrastinação. Por isso, a primeira ferramenta prática que ensinaremos a você neste livro é como criar uma **visão pessoal**, preparando o caminho para a **motivação baseada na jornada**. Com esse tipo de motivação, sua visão vai ser duradoura e levar não apenas a resultados, mas também à felicidade mais frequente. Lembrando que, como estamos falando da *sua* vida, sobre a qual você detém a responsabilidade, é imprescindível que você crie sua visão pessoal. Afinal, é sua visão *pessoal*.

Um cliente certa vez me pediu que criasse sua visão para ele. Ofereceu pagar por isso, alegando não ter tempo para fazer ele próprio. Expliquei que dessa maneira não ia funcionar. Para sua visão acionar o motor da motivação intrínseca, ela precisa ser uma expressão de *autonomia*, precisa ser a *sua* visão – o fruto dos seus esforços –, conter seus pensamentos e valores.

Como criar sua visão?

Antes de começar, recomendamos que você se prepare com alguns poucos passos simples. Desenvolvemos as seguintes ferramentas de apoio para ajudá-lo a descobrir em si mesmo informações úteis para chegar à versão final da sua visão pessoal.

1. **Análise SWOT pessoal:** vai revelar suas forças e fraquezas. Também vai ajudar você a identificar novas oportunidades e possíveis obstáculos ao seu avanço.
2. **Lista de realizações pessoais:** vai ajudar você a identificar e anotar realizações que o deixaram orgulhoso de si mesmo.
3. **Análise de atividades motivadoras:** vai ajudar você a mapear as coisas que quer fazer na vida. Existem quatro tipos de atividade capazes de gerar uma motivação forte.
4. **Versão beta da sua visão pessoal:** vai ajudar você a lançar as bases para sua visão final. As fases iniciais da criação de uma visão são as mais importantes, mas as pessoas costumam procrastiná-las. Esse método simplifica o processo, permitindo que você dê o pontapé inicial.

Arranje uma tarde livre, em que você possa ficar em paz e sossegado, e mãos à obra. As próximas páginas trazem instruções detalhadas de como proceder.

Elaborar sua visão pessoal leva tempo. Não se apresse. Durante o processo, você vai se ver progredindo, pouco a pouco, rumo à **versão final da sua visão pessoal.**

1. ANÁLISE SWOT PESSOAL

3. ANÁLISE DE ATIVIDADES MOTIVADORAS

5. VERSÃO FINAL DA SUA VISÃO PESSOAL

2. LISTA DE REALIZAÇÕES PESSOAIS

4. VERSÃO BETA DA SUA VISÃO PESSOAL

Análise SWOT pessoal

Você é criativo, mas às vezes desorganizado? Ou é preciso e analítico, mas ocasionalmente não consegue improvisar? Quando pergunto às pessoas quais são seus pontos fortes e fracos e o que elas gostam e não gostam de fazer, elas raramente sabem me responder. É interessante notar que tantas pessoas não tenham respostas para essas perguntas tão importantes. Uma **análise SWOT* pessoal** vai ajudar você a encontrar essas respostas.

Você vai começar preenchendo a parte superior do diagrama. Faça a si mesmo esta pergunta: "Quais são meus **pontos fortes** e **fracos**?" Tente escrever ao menos cinco de cada.

Qual o objetivo disso?

---

*   **S** = pontos fortes (*strengths*), **W** = pontos fracos (*weaknesses*), **O** = oportunidades (*opportunities*), **T** = ameaças (*threats*).

S – PONTOS FORTES:	**W** – PONTOS FRACOS:
O – OPORTUNIDADES:	**T** – AMEAÇAS:

É DAQUI QUE VEM O FLUXO

Para realizar sua visão você precisará aplicar seus pontos fortes nas atividades que vai executar com mais frequência. Quando você tem as habilidades para algo em que encontra significado, é aí que acontece o fluxo. Já seus pontos fracos são inimigos do fluxo, portanto tome cuidado com eles ao definir sua visão. Se você não tem as habilidades necessárias para executar algo que, no entanto, é importante para realizar sua visão, vai acabar se sentindo ansioso e frustrado.

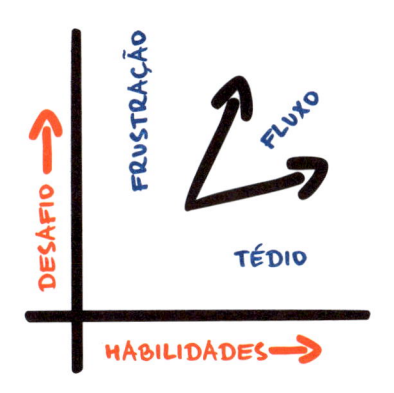

Eixo vertical: DESAFIO / FRUSTRAÇÃO. Eixo horizontal: HABILIDADES. Diagonal: FLUXO. Canto inferior direito: TÉDIO.

Certa vez, o contador que prestava serviços para nossa empresa conseguiu perder o equivalente a três anos de registros financeiros. Lembro que, ao entrar no escritório dele, a gente se deparava com um caos generalizado de papéis. O sujeito parecia totalmente desprovido de precisão, um dos pontos fortes necessários a todo contador. Após uns cinco meses, quando parou de trabalhar para nós, ele encontrou os tais registros e nos devolveu. Não creio que fosse desleixado ou má pessoa, apenas que julgava mal as próprias habilidades. Esse incidente fortaleceu minha opinião de que as pessoas deveriam levar em conta seus pontos fortes e fracos na hora de escolher uma carreira ou definir qual caminho seguir na formação. E isso vale especialmente para o momento de criar sua visão pessoal.

Quanto tempo você deve dedicar a melhorar seus pontos fracos? Pela minha experiência, embora sem dúvida seja útil combater suas fraquezas, acho mais proveitoso se concentrar em aprimorar seus pontos fortes. Assim, cheguei à minha proporção ideal de 80/20. Isso significa que dedico 80% do meu tempo a desenvolver meus pontos fortes e apenas 20% a combater meus pontos fracos.

A visão pessoal não serve apenas para nos desafiar e indicar a direção certa. Também é importante que as principais atividades que você executa, aquelas que conduzem à realização da sua visão pessoal, envolvam seus pontos fortes.

Ao escrever, não sinto o mesmo fluxo que sentiria se estivesse dizendo as mesmas palavras para você num dos meus seminários. Embora eu veja o mesmo significado nas duas atividades – escrever e falar –, falar sempre foi natural para mim, enquanto nunca considerei a escrita um dos meus pontos fortes. É por isso que minha visão pessoal depende mais das minhas habilidades como palestrante do que das minhas habilidades como autor.

Mas voltemos à análise SWOT. O próximo passo é anotar as **oportunidades** e **ameaças**. Quando pensamos nas oportunidades que temos na vida, começamos a ver melhor as possibilidades que o mundo oferece. Ao criar sua visão, é importante escolher apenas oportunidades-chave e bater a porta na cara das demais. Uma das características mais importantes da visão pessoal é que ela pode ajudar você a combater a paralisia decisória e a selecionar as oportunidades mais importantes na tesoura aberta do potencial.

Se você deixa várias outras portas abertas, acaba ficando menos satisfeito com a que escolheu.[47] Portanto, feche intencionalmente a tesoura do potencial para que seja mais fácil realizar seu potencial.

Por exemplo, imagine alguém que todo dia pensa em se mudar para a Nova Zelândia ou em trocar de emprego ou mesmo de parceiro. De maneira repetitiva, sua energia está sendo sugada. Entretanto, se você conseguir tomar uma decisão de longo prazo ou mesmo permanente em vez de passar seus dias hesitando, vai conseguir se concentrar naquilo que definiu como importante.

Analisar ameaças é necessário como medida preventiva. Devemos sempre pensar nos obstáculos que a vida pode colocar no nosso caminho. Na maior parte das vezes, ao fazer a análise SWOT, as pessoas simplesmente descobrem que não há nenhuma ameaça grave. Essa descoberta ajuda a reduzir as preocupações e a eliminar o medo do futuro, dando a elas uma sensação maior de segurança.

Se você não tem certeza quanto a alguma parte da sua análise SWOT, não se preocupe. Você poderá retornar a ela a qualquer momento. O objetivo dessa tarefa é fazê-lo pensar nesses quatro aspectos da sua vida para ajudá-lo a chegar à versão final da sua visão pessoal.

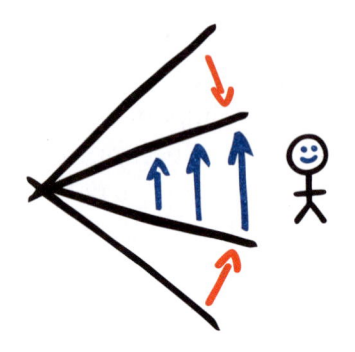

A VISÃO PESSOAL VAI AJUDAR VOCÊ A DEFINIR AS PRINCIPAIS OPORTUNIDADES. COM UM ESCOPO DE POTENCIAL LIMITADO, VAI SER MAIS FÁCIL REALIZÁ-LO.

Lista de realizações pessoais

Pegue uma folha de papel e faça uma lista das realizações mais importantes da sua vida. Anote coisas que você fez que o deixam orgulhoso de si mesmo. Escreva pelo menos 10 itens. Isso vai levar um tempo, portanto libere sua agenda por uma hora, ache um lugar agradável, pegue caneta e papel e anote o que vier à mente.

Um cliente certa vez me confidenciou, após fazer essa lista, que era a primeira vez que pensava em suas realizações. Ele me contou que, enquanto escrevia, lembrava-se de acontecimentos havia muito esquecidos. A lista que ele levou ao nosso encontro seguinte tinha 24 itens. Enquanto ele a lia, transparecia entusiasmo e autoconfiança – dois sentimentos cruciais para que você chegue à versão final da sua visão pessoal. Sua lista de realizações pessoais vai gerar sensações positivas sempre que você olhar para ela.

LISTA DE REALIZAÇÕES PESSOAIS:

Análise de atividades motivadoras

Que coisas você gostaria de fazer em prol do seu desenvolvimento? Tem vontade de aprender algo novo? Praticar exercícios físicos? Ter uma alimentação mais saudável? Que atividades gostaria de exercer para deixar sua marca no mundo? O que gostaria de fazer para construir relações com as pessoas? Que tipos de atividade do ego 2.0 você conseguiria realizar?

Uma análise de atividades motivacionais pode ajudar você a descobrir coisas que, quando incluídas na sua visão pessoal, provavelmente criarão uma forte motivação intrínseca. Para que fique mais claro, dividi essas atividades em quatro grupos:

- **Atividades de desenvolvimento** – Incluem atividades educativas, treino de habilidades, prática de esportes, estilo de vida saudável e desenvolvimento de técnicas de repouso eficazes.
- **Atividades de criação de legado** – Seu legado é o que você deixa para os outros neste mundo. Essas atividades podem criar um legado concreto (tal como plantar árvores, construir uma casa) ou intangível (por exemplo, transmitir ideias e valores aos outros). Criar um filho é um bom exemplo deste último.
- **Atividades de desenvolvimento de relacionamentos** – Os seres humanos são criaturas sociais. Por isso, as conexões com outras pessoas são muito importantes. Essas atividades são aquelas em que você está envolvido com sua família, seus amigos ou fazendo contatos profissionais.

- **Atividades baseadas no ego 2.0** – São coisas que você faz pelo bem de outros, não para si mesmo. Isso inclui ajudar diretamente outras pessoas ou colaborar para o bom funcionamento da sociedade. Em termos gerais, são atos que carregam um significado mais profundo.

Uma visão pessoal equilibrada deve incluir atividades que se complementem e que abranjam todas essas quatro áreas. Escrever este livro, por exemplo, é uma atividade que abrange todas ao mesmo tempo: desenvolve minhas habilidades literárias, cria um legado do meu pensamento, torna possível conhecer pessoas novas e, acredito, ajudará a melhorar a vida daqueles que o lerem.

O diagrama na página seguinte vai ajudá-lo a chegar à versão final da sua visão pessoal. Tente escrever em cada quadro ao menos três coisas que você gostaria de fazer.

A versão beta da sua visão pessoal

O último método de apoio para ajudá-lo a chegar à versão final da sua visão pessoal é fazer um rascunho, uma **versão beta**. Pelo que percebo em minha experiência, as pessoas costumam procrastinar quando se trata de começar a elaborar sua visão. Uma versão beta é uma maneira de facilitar o primeiro passo. A versão beta também aumentará as chances de você continuar a elaborá-la e concluí-la.

É só responder às perguntas seguintes e pronto: você terá uma versão beta da sua visão pessoal.

1. DESENVOLVIMENTO:	**2. LEGADO:**
3. RELACIONAMENTOS:	**4. EGO 2.0:**

VERSÃO BETA DA SUA VISÃO:

1. QUAIS SÃO SUAS CITAÇÕES FAVORITAS? COM QUAIS PENSAMENTOS VOCÊ MAIS SE IDENTIFICA?

2. QUAIS SÃO OS TRÊS VALORES MAIS IMPORTANTES NA SUA VIDA?

3. COMO VOCÊ GOSTARIA DE PASSAR SEUS DIAS? SE PUDESSE ESCOLHER FAZER APENAS O QUE O AGRADA, O QUE VOCÊ FARIA?

4. COMO VOCÊ PODERIA CONTRIBUIR PARA A SOCIEDADE? QUAIS AÇÕES DO EGO 2.0 VOCÊ PODE SE COMPROMETER A EXECUTAR?

A versão final da sua visão pessoal

Como deve ser o formato da sua visão pessoal? Já que autonomia é um elemento-chave aqui, a forma final fica a seu cargo. Você pode escrever vários parágrafos ou poucas linhas. O principal é que evoque as associações, ideias e emoções desejadas. De qualquer modo, você deve seguir algumas recomendações básicas para aumentar as chances de que sua visão tenha efeitos duradouros.

- **Forma tangível** – Vale muito a pena anotar sua visão no papel. Assim você poderá levá-la consigo aonde for ou pendurá-la na parede para ser vista e relida regularmente. O cérebro humano tem uma tendência incrível a esquecer mesmo as coisas mais importantes, e isso inclui a visão pessoal. Você pode muito bem ir dormir com sua visão cristalina na cabeça, mas na manhã seguinte acordar sem se lembrar de nada. A versão escrita servirá como um lembrete constante para que você possa, por exemplo, refrescar a memória ao acordar. Outra vantagem de anotar sua visão é poder atualizá-la e modificá-la sempre que quiser, aperfeiçoando-a com o tempo.
- **Resposta emocional** – Para intensificar a resposta emocional, você pode acrescentar algumas citações ou frases com as quais se identifica. Talvez fotos tenham efeito semelhante, evocando sentimentos por meio das associações certas. Sua visão também pode (como este livro) conter diagramas, desenhos ou quaisquer outros elementos gráficos. Fique à vontade para torná-la sua obra de arte particular.

- **Concentre-se em ações, não em metas** – Como já expliquei, é comum cairmos na armadilha da adaptação hedônica. Então, se você não quer virar um viciado em metas, sua visão deve se concentrar na jornada, não nas metas. Você pode, por exemplo, incluir uma afirmação que comece por "Meu propósito na vida é…". Ao direcionar o foco para a jornada, você está abrindo caminho para atingir o estado de fluxo, tornando-se mais feliz no momento presente.
- **Inclua atividades do ego 2.0** – Se sua visão for egoísta demais em termos de objetivos, não vai lhe proporcionar a emoção do sentido. Por isso, sua visão precisa incluir atividades tanto do ego 1.0 quanto do ego 2.0. O inventor Nikola Tesla descreveu assim sua visão pessoal: *"Tudo que fiz foi pela humanidade, por um mundo onde os pobres não fossem humilhados pela violência dos ricos, onde os produtos do intelecto, da ciência e da arte servissem à sociedade para o aperfeiçoamento e o embelezamento da vida."*
- **Equilíbrio e conexão** – Sua visão pessoal deve ser equilibrada e abranger, além da sua vida profissional, a pessoal e a familiar. Já que não é possível dedicar 100% do seu tempo e da sua energia a tudo, defina prioridades e estabeleça a quantidade de tempo que deseja dedicar a cada atividade. Sua visão pessoal também precisa ser coerente, isto é, todas as partes devem funcionar juntas em harmonia. Não pode haver conflitos fundamentais – seguir um aspecto da sua visão não pode impedi-lo de seguir outro aspecto.
- **Use âncoras** – Âncoras são objetos físicos que lembram você de sua

visão. Eu, por exemplo, tenho um anel que mandei fazer quando jovem. É uma peça em formato único, que uso como símbolo da minha visão. Sempre que quero me lembrar da minha visão e não tenho à mão a versão escrita, giro o anel algumas vezes. Rituais ajudam o cérebro a associar objetos – as âncoras que você escolheu – às ideias contidas na sua visão. Acessórios, um relógio herdado, uma foto, o plano de fundo do seu computador, algum símbolo, uma música ou mesmo certos toques do despertador podem servir de âncora.

Criar e aperfeiçoar sua visão pode levar a vida toda. Embora ela possa parecer perfeita agora, podem surgir situações novas que façam você sentir a necessidade de alterá-la.

Criar uma visão pessoal é o primeiro e mais importante passo no combate à procrastinação. Infelizmente, também é algo que as pessoas costumam adiar fazer. **Não procrastine sua luta contra a procrastinação.**

O ideal seria reservar uma tarde inteira para cumprir esses passos e criar uma primeira versão da sua visão pessoal. Por via das dúvidas, anote essa atividade na sua agenda agora mesmo, como um compromisso. Criamos algumas folhas imprimíveis para ajudar. Você pode fazer o download em **www.sextante.com.br/livros/o-fim-da-procrastinacao**, na seção "Conteúdos especiais".

IDEIAS PARA COLOCAR EM PRÁTICA SUA VISÃO:

1. COMO VOCÊ PODE INCORPORAR SUA VISÃO AO SEU DIA A DIA?

2. QUAIS PASSOS VOCÊ PODE DAR PARA MELHORAR REGULARMENTE SUA VISÃO?

3. O QUE VOCÊ PODE FAZER PARA NUNCA ESQUECER SUA VISÃO?

4. QUAIS AÇÕES ESPECÍFICAS VOCÊ VAI TOMAR PARA CONCRETIZAR AO MÁXIMO SUA VISÃO PESSOAL?

Recapitulando o capítulo: Motivação

Quanto mais motivado você estiver, menos vai procrastinar. Porém, nem todos os tipos de motivação têm o mesmo efeito sobre a felicidade.

As punições da **motivação extrínseca** pressionam as pessoas a fazer o que normalmente não teriam vontade de fazer. Isso gera infelicidade, que faz o cérebro liberar menos dopamina, o que, por sua vez, prejudica o funcionamento cerebral, a criatividade, a memória e a capacidade de aprendizado.

Por causa da adaptação hedônica, pessoas impelidas pela **motivação intrínseca baseada em metas** sentem uma felicidade apenas temporária – a **alegria** – quando atingem uma meta. Essa emoção pode causar dependência.

Em vez de se concentrar nas metas, a **motivação intrínseca baseada na jornada** se concentra nas atividades que você gostaria de realizar. Graças a isso, ela evita a adaptação hedônica, permitindo que você sinta **felicidade no momento presente** com mais frequência.

Quando você faz algo que deseja e que incorpora seus pontos fortes, é provável que atinja o **estado de fluxo**. Seu cérebro libera mais dopamina com regularidade, o que impulsiona a criatividade e o aprendizado, ajudando você, assim, a alcançar a **excelência**.

Incorporar **atividades do ego 2.0** (altruístas) à sua visão leva à **emoção do sentido**. O sentido potencializa a motivação intrínseca, ajudando a viver com intensidade.

A **visão pessoal** é a principal ferramenta para desencadear a motivação intrínseca baseada na jornada. Ela vai ajudar você a definir prioridades, reduzir a paralisia decisória e conduzi-lo a atividades realmente significativas.

Se você se cercar de pessoas que têm valores e visões pessoais semelhantes à sua, pode surgir uma **visão de grupo** poderosa, resultando numa forma bem intensa de motivação de grupo.

Diversas ferramentas de apoio podem ser usadas para criar uma visão pessoal: **a análise SWOT pessoal, a lista de realizações pessoais, a análise de atividades motivadoras** e a criação de **uma versão beta da sua visão pessoal**.

Como a **autonomia** é muito importante, a versão final da sua visão depende sobretudo de você, seu proprietário, mas existem alguns fatores que costumam aumentar sua eficácia: ter forma tangível; intensificar a reação emocional; focar nas ações, não nas metas; incorporar atividades do ego 2.0; assegurar equilíbrio e conexão; e usar âncoras como lembretes.

Para monitorar seu progresso no longo prazo, dê uma nota, numa escala de 1 a 10, à sua motivação atual e a como você está usando sua visão pessoal.

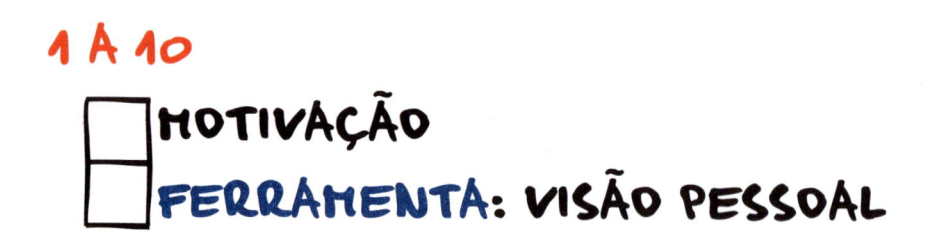

1 A 10

☐ **MOTIVAÇÃO**
☐ **FERRAMENTA: VISÃO PESSOAL**

Não espero que todo leitor seja capaz de criar uma visão perfeita após ler este livro uma única vez. Pequenas melhorias nas áreas da vida cobertas neste capítulo bastam para gerar grandes mudanças positivas. Se você sempre retornar às ideias principais contidas neste capítulo, acredito que a certa altura vai chegar a uma visão à qual dará nota máxima. Desejo-lhe muita força para buscar – e encontrar – sua visão pessoal.

DISCIPLINA

COMO DAR ORDENS A SI MESMO E CUMPRI-LAS

Na época da faculdade, eu dividia o quarto com um estudante de arquitetura. Era um cara inteligente e talentoso, além de bom amigo, mas também um dos maiores procrastinadores que já conheci. Ele dominava a arte de apertar o botão soneca: às vezes, seu despertador tocava de 10 em 10 minutos por horas, até a hora do almoço. Sua especialidade era deixar tudo para o último minuto. Fazer os trabalhos na noite da véspera se tornara seu comportamento-padrão, e ele passava madrugadas em claro, mas muitas vezes não conseguia terminá-los. Eu já fui um pouco parecido com ele.

Mas você não precisa conviver para sempre com estresse, maus hábitos de sono, culpa e problemas virando uma bola de neve. Você pode romper o hábito da procrastinação – se souber como.

Tem vezes em que você sabe exatamente o que deveria fazer, mas mesmo assim não faz? Às vezes você percebe que não dá ouvido a si mesmo? Uma das principais causas da procrastinação é a falta de disciplina, que consiste na capacidade de convencer seu corpo a realizar uma ação desejada.

A **disciplina** é o segundo elemento mais importante do desenvolvimento pessoal, logo depois da motivação. Em seu núcleo está a *autorregulação*: a capacidade de superar as emoções negativas que nos fazem deixar de concluir as tarefas. Outro aspecto importante é a capacidade de controlar a *paralisia decisória*. Por fim, o terceiro fator relacionado à disciplina envolve o conceito que chamamos de *heroísmo*, que se baseia na arte de sair da sua zona de conforto.

↑ DISCIPLINA {
- ↑↓ AUTORREGULAÇÃO
- ↓ PARALISIA DECISÓRIA
- ↑ HEROÍSMO

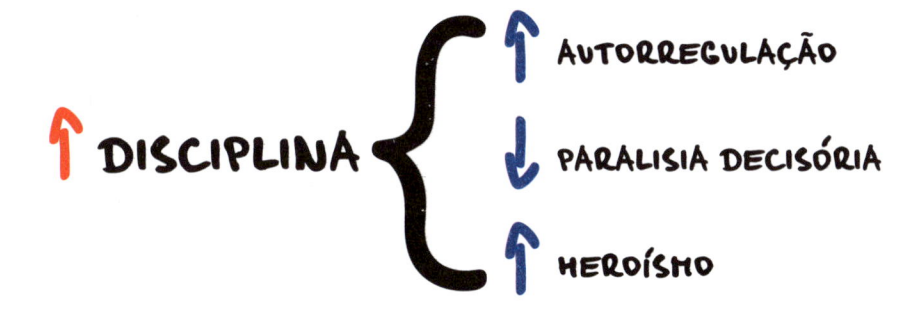

Este capítulo vai lhe apresentar maneiras práticas de desenvolver disciplina de vez. Com mais disciplina, você vai ser mais produtivo e eficaz, tornando-se, assim, capaz de coisas mais significativas. Ao realizar sua visão pessoal com mais eficácia, você vai se sentir mais feliz.

Quando a razão diz sim, mas as emoções dizem não

Meu pai sempre dizia: "*Petr, você precisa aprender a mandar em si mesmo.*" Ao que eu sempre respondia: "*Como assim, pai? Eu mando em mim, só não obedeço.*" Diversos estudos sobre procrastinação indicam que não ter a capacidade de obedecer a nós mesmos é provavelmente o principal fator que nos leva a protelar as coisas.[48] O nome técnico dessa capacidade é **autorregulação**.

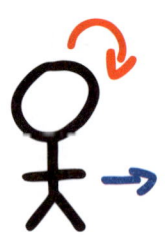

AUTORREGULAÇÃO = CAPACIDADE DE DAR ORDENS A SI MESMO E CUMPRI-LAS.

Qual é a sensação quando você quer mergulhar em uma piscina gelada, mas seu corpo diz não? Como você se sente quando quer puxar papo com um estranho, mas fica calado? Quantas vezes você já disse a si mesmo que vai começar a trabalhar em um projeto, mas passa horas fazendo algo totalmente diferente? Quantas vezes na sua vida você tentou se obrigar a fazer alguma coisa, mas não obedeceu?

O motivo para nossa autodesobediência está lá atrás na história da evolução do cérebro humano. No decorrer de milênios, nosso cérebro não apenas cresceu em volume como desenvolveu partes novas.[49]

A parte mais antiga do cérebro humano é o tronco, também conhecido como *cérebro reptiliano*, que é responsável pelos reflexos básicos e os instintos. Mais tarde, desenvolveu-se em nossos ancestrais mamíferos o *sistema límbico*, a parte do cérebro responsável pelas emoções. Só bem depois é que veio a surgir a parte mais nova do nosso cérebro, o *neocórtex*. Ele é responsável pelo pensamento racional e lógico, o planejamento e a linguagem.[50]

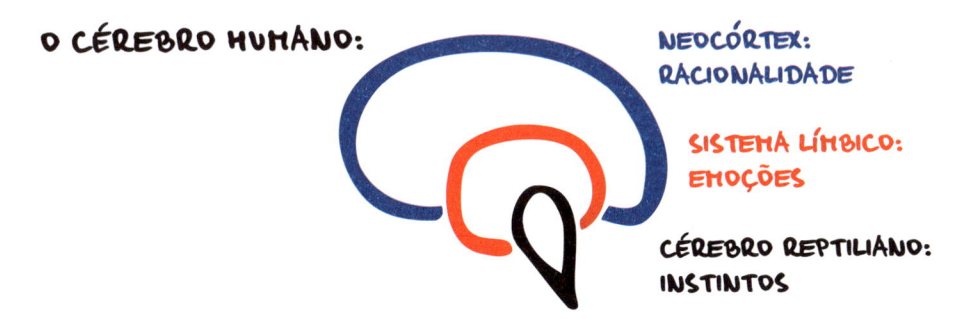

O CÉREBRO HUMANO:

NEOCÓRTEX: RACIONALIDADE

SISTEMA LÍMBICO: EMOÇÕES

CÉREBRO REPTILIANO: INSTINTOS

Como o cérebro se desenvolveu gradualmente, as conexões do sistema límbico (mais antigo) para o neocórtex (mais novo) são mais numerosas e mais fortes que aquelas no sentido inverso.[51] O resultado disso é que nosso comportamento sofre mais influência da emoção do que da razão. Essa é a estrutura do cérebro que nos torna tão ruins em obedecer a nós mesmos. É o neocórtex racional que dá as ordens, mas o sistema límbico, o emocional, mais forte, não escuta.

Autorregulação é a capacidade de controlar as próprias emoções conscientemente. Ao desenvolver essa capacidade, você obedece a si mesmo mais vezes e se torna mais resistente às tentações. No fim das contas, você procrastina menos.

A autorregulação não consiste em bloquear as emoções. Por si mesmas, emoções não são ruins. Muito pelo contrário: elas facilitam a tomada de decisões e são mais rápidas que a razão em reagir, ajudando assim a garantir nossa sobrevivência. No entanto, fortalecer suas habilidades de autorregulação permite que você evite a armadilha de virar escravo das próprias emoções quando elas não lhe fazem bem.

POR CONTA DE COMO O SER HUMANO EVOLUIU, ACONTECEM MAIS CONEXÕES DO CÉREBRO EMOCIONAL PARA O CÉREBRO RACIONAL DO QUE NO SENTIDO INVERSO.

Algumas emoções evoluíram em ambientes completamente diferentes daqueles em que vivemos hoje. Por exemplo, o medo de estranhos se aproximando provavelmente se desenvolveu numa época da história em que ainda vivíamos em pequenos grupos nas cavernas, quando desconhecidos podiam representar graves ameaças. Só que o mundo vem mudando mais rápido do que nossas emoções conseguem se adaptar, então muitas vezes temos reações inapropriadas, momentos em que as emoções deixam de ser nossas auxiliares. As emoções se tornaram uma barreira que precisamos aprender a superar – daí a importância da autorregulação.

Como tomar as rédeas das emoções que atrasam sua vida? Como superar as emoções negativas que paralisam você, aquelas que o fazem procrastinar? Como melhorar sua capacidade de autorregulação? A solução pode ser elegantemente demonstrada pela antiga *metáfora budista do elefante e do domador*. Ela é tão simples e ilustrativa que é utilizada na psicologia contemporânea.[52]

A PERSONALIDADE DE CADA PESSOA PODE SER DIVIDIDA EM DUAS CRIATURAS INDEPENDENTES: O ELEFANTE E O DOMADOR.

O elefante emocional e o domador racional

Figurativamente falando, cada um de nós tem dentro de si duas criaturas independentes: um **elefante** selvagem e um **domador** que o controla. O elefante simboliza nossas **emoções**, enquanto o domador é nosso **lado racional**. A diferença de tamanho entre o elefante e o domador representa bem o desequilíbrio nas conexões entre o sistema límbico e o neocórtex.

Autorregulação é a capacidade do domador de controlar o elefante. Quanto mais competente e forte for o domador, mais facilmente ele vai conseguir guiar o elefante no caminho certo. Mas, se estiver fraco ou cansado, o domador perde a capacidade de controlar o elefante.

AUTORREGULAÇÃO

O DOMADOR REPRESENTA A RACIONALIDADE, O ELEFANTE REPRESENTA AS EMOÇÕES. AUTORREGULAÇÃO É A CAPACIDADE DO DOMADOR DE CONTROLAR O ELEFANTE.

Assim como o domador precisa aprender a controlar o elefante para guiá-lo na direção certa, precisamos aprender a controlar conscientemente nossas emoções para dar os passos certos rumo à realização da nossa visão pessoal. Não basta que seu domador queira seguir sua visão. Seu elefante também precisa segui-la. Quando existe harmonia entre domador e elefante, acontece o estado de fluxo. Seu elefante faz a atividade com prazer e seu domador sabe que suas ações estão alinhadas à sua visão.

Como aprender a controlar o elefante? Como domá-lo? Em que se baseia a capacidade de autorregulação?

A HARMONIA ENTRE DOMADOR E ELEFANTE É CRUCIAL PARA VOCÊ REALIZAR SUA VISÃO PESSOAL.

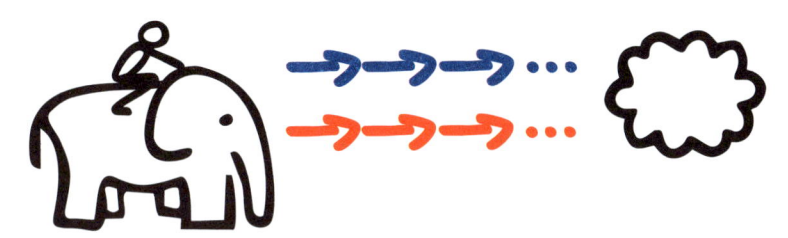

Recursos cognitivos: a chave da autorregulação

Estudos mostram que nossa capacidade de autorregulação é limitada e depende dos chamados *recursos cognitivos*.[53] No caso do elefante e do domador, os recursos cognitivos disponíveis são representados pelo nível de energia do domador. Imagine-o como se fosse um copo d'água. A cada vez que você se convence a agir, seus recursos cognitivos se reduzem mais um pouco – parte da água no copo é consumida.

OS RECURSOS COGNITIVOS REPRESENTAM A ENERGIA DO DOMADOR. CADA ATO DE AUTORREGULAÇÃO CONSOME MAIS UM POUCO DOS RECURSOS DISPONÍVEIS.

Uma vez consumidos todos os seus recursos cognitivos, você perde a capacidade de autorregulação e suas emoções assumem o comando.[54] O domador perde energia e já não tem força suficiente para controlar o elefante. O elefante então começa a fazer o que bem entende: vê TV, fica olhando as redes sociais compulsivamente, bebe, fuma, trai, come demais, vê pornografia ou torra o cartão de crédito. O elefante está deixando você de lado.

QUANDO OS RECURSOS COGNITIVOS SÃO EXAURIDOS, O DOMADOR NÃO CONSEGUE MAIS CONTROLAR O ELEFANTE, QUE COMEÇA A FAZER O QUE BEM ENTENDE.

A boa notícia é que é possível **repor** seus recursos cognitivos no decorrer do dia e até **aumentar** a capacidade de armazenamento deles. O que significa que você não apenas pode encher de novo seu copo imaginário como pode torná-lo maior.

Repondo seus recursos cognitivos

Se você quer que sua capacidade de autorregulação dure o dia inteiro, precisa repor seus recursos cognitivos com regularidade. Precisa encher o copo d'água.

> É POSSÍVEL RECARREGAR SEUS RECURSOS COGNITIVOS NO DECORRER DO DIA. ISSO VAI AJUDAR VOCÊ A EXERCER UMA AUTORREGULAÇÃO MELHOR.

Encha seu copo **regularmente, como medida preventiva**. Não é boa ideia adiar isso. Se você procrastina o descanso, corre o risco de esgotar seus recursos cognitivos a tal ponto que não vai restar energia nem para se reabastecer.

Estudos indicam que os recursos cognitivos dependem em grande parte de nutrientes, especialmente da glicose e de açúcares simples.[55] Portanto, para repor sua capacidade de autorregulação, convém beber um pouco de suco natural ou comer alguma fruta. Outra forma de se recuperar é dedicar algum tempo a atividades físicas ou manuais leves que ajudem seu domador a relaxar.[56] Uma caminhada de cinco minutos já produz recarga quase total.[57]

Desse modo, várias vezes por dia você deveria deixar seu celular de lado, tomar um copo de suco natural ou dar uma volta sozinho no quarteirão. O tempo gasto nisso vai ajudar a repor seus recursos cognitivos, permitindo que você execute mais atividades que exigem autorregulação. Esse reabastecimento preventivo tem o poder de multiplicar sua produtividade.

Muitos clientes meus me contam que trabalham noite adentro e que estão simplesmente esgotados. Eu já fui assim. Mas aprendi a planejar repousos regulares ao longo do meu dia e, mais importante, a seguir esses planos. Quando me lembro de repor meus recursos cognitivos, às vezes chego a encerrar o dia de trabalho com mais energia do que quando me levantei.

Aumentando seus recursos cognitivos

Quando dizem que alguém tem **força de vontade**, geralmente significa que essa pessoa tem grande capacidade de armazenamento de recursos cognitivos. Em outras palavras, quanto maior seu copo, por mais tempo você consegue realizar a autorregulação.

Já os procrastinadores têm uma capacidade baixíssima de autorregulação e seu domador se cansa rápido. Pesquisas recentes indicam que a força de vontade pode ser comparada a um músculo:[58] é possível fortalecê-la com exercícios físicos, o que melhora o desempenho do seu domador.

No entanto, assim como é possível fortalecer o **músculo da força de vontade**, também é possível desgastá-lo. É por isso que não é uma boa ideia fazer resoluções de ano-novo numerosas ou ambiciosas demais: o efeito sobre sua força de vontade é que ela vai ficar tão sobrecarregada quanto ficam seus músculos se você pegar pesado na academia uma única vez depois de um ano inteiro de sedentarismo. Breves surtos de atividade uma vez ou outra não vão aumentar sua força de vontade, da mesma maneira que não fortalecem os músculos. Na verdade, isso pode até piorar a situação. Procure ter cautela ao trabalhar esse aspecto.

Expandir seus recursos cognitivos é a base da melhoria da autorregulação e, por consequência, do combate eficaz e duradouro à procrastinação. E a maneira certa de fortalecer o músculo da força de vontade é pelo **desenvolvimento de hábitos**.

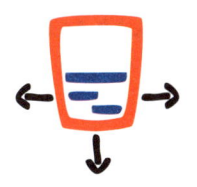

> COM TREINO, VOCÊ PODE AUMENTAR SEUS RECURSOS COGNITIVOS, FAZENDO COM QUE DUREM MAIS ANTES DE SE EXAURIREM.

Criando hábitos: como treinar seu elefante

Pouco tempo atrás, um colega meu, após muito treino, disputou uma ultramaratona de 110 quilômetros nas montanhas. Alguns anos antes, ele não corria nada, na verdade nem gostava desse esporte, e hoje em dia esse ex-procrastinador irresponsável é, de todos os meus conhecidos, aquele que tem um dos mais fortes músculos da força de vontade. Ao formar hábitos gradualmente, ele conseguiu colocar seu elefante em marcha.

Muitas das coisas que precisamos fazer são desagradáveis no início. O resultado é a **aversão emocional**, que nos paralisa e nos faz adiar sua execução. Ainda que nosso lado racional nos informe que as obrigações precisam ser cumpridas, as emoções negativas nos desencorajam. Nosso elefante as vê como obstáculos e fica com medo. Quanto maior a aversão (quanto maior e mais complicada for a tarefa), maior o obstáculo vai parecer para o elefante.

A AVERSÃO EMOCIONAL É UM OBSTÁCULO QUE LEVA À PARALISIA E À INCAPACIDADE DE REALIZAR AÇÕES PLANEJADAS RACIONALMENTE.

Já que muitas coisas importantes da vida estão do outro lado dessas barreiras emocionais, você precisa aprender a superá-las. Como enfrentar a aversão? Como chegar a aprender a gostar de atividades desagradáveis? Como aprender a, pouco a pouco, alcançar o fluxo enquanto você as realiza?

Para superar a paralisia, você precisa começar desmembrando a tarefa, tornando-a **a menor possível,** para que o elefante não sinta medo. Em seguida, você repete essa ação regularmente, para ensiná-lo a transpor esse obstáculo baixo. Em geral, as ações precisam ser repetidas entre **20 e 30 vezes**[59] para que o elefante passe a realizá-las de maneira automática. E assim você terá formado um novo hábito. Não vai mais sentir aversão a essa tarefa. Será como escovar os dentes.

1. PARALISIA INICIAL
2. REDUZIR O OBSTÁCULO AO MÁXIMO
3. 20 A 30 REPETIÇÕES
4. AUMENTO GRADUAL
5. PARALISIA SUPERADA

Uma vez que você tenha incorporado seu novo hábito, pode **aos poucos aumentar o grau de dificuldade da tarefa.** Desse modo você pode superar o obstáculo que inicialmente causava aversão e levava à paralisia.

Foi assim que comecei a escrever este livro. Me comprometi a redigir apenas dois parágrafos todos os dias. Para mim, e especialmente para meu elefante, esse volume de texto parecia aceitável. Se desde o princípio eu me obrigasse a escrever várias páginas ou mesmo um capítulo inteiro a cada vez, talvez você não estivesse lendo isto agora.

Criar hábitos não é uma questão de quantidade, é um processo que envolve pequenos passos e repetição regular. Com pequenos passos você pode percorrer grandes distâncias. Muito tempo atrás, os samurais japoneses usavam um método de aprendizado gradual e constante para superar mesmo as coisas mais desagradáveis. Chamavam-no de *kaizen*.[60]

COMO FORMAR HÁBITOS:

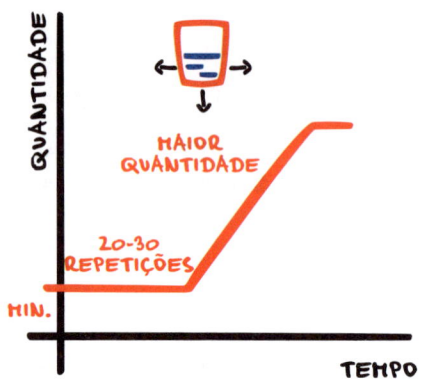

QUANTIDADE (eixo y) / **TEMPO** (eixo x)
- MAIOR QUANTIDADE
- 20-30 REPETIÇÕES
- MIN.

AO FORMAR NOVOS HÁBITOS, É IMPORTANTE COMEÇAR COM A **MENOR META POSSÍVEL**. DEPOIS DE INCORPORADO O NOVO HÁBITO, VOCÊ PODE COMEÇAR A AUMENTAR A QUANTIDADE. ISSO AJUDARÁ A TREINAR O MÚSCULO DA **FORÇA DE VONTADE**.

Ao promover aumentos graduais após adquirir um novo hábito, você fortalece o músculo da força de vontade. Ao aumentar aos poucos a meta, sua força de vontade ganha força. E quanto mais forte ela for, mais fácil vai ser superar cada vez mais obstáculos.

Se você quer começar a praticar corrida, não é uma boa ideia sair e correr 3 quilômetros logo no primeiro treino. Estabelecer uma meta alta demais provavelmente vai assustar seu elefante. Você pode até completar os 3 quilômetros uma ou duas vezes, mas provavelmente sua carreira como corredor vai acabar por aí.

Para tornar a corrida um hábito, comece com o mínimo possível a superar. Corra poucas centenas de metros todos os dias. Ou apenas vista a roupa de ginástica, saia e logo depois volte para casa. Sempre se pode dar um passo que seja confortável. Repita esse pequeno passo algumas vezes, até seu elefante se acostumar com ele, e então você vai conseguir correr mais um pouco. Esse método serve para treinar correr praticamente qualquer distância que você tenha em mente como objetivo final. Você vai começar a entrar no fluxo durante a prática e, assim, vai passar a curtir a corrida.

Esse método dos pequenos passos serve para aprender a levantar cedo, a ter uma alimentação saudável, a praticar atividade física regular, a eliminar maus hábitos... Mudanças graduais são mais agradáveis do que as súbitas e radicais. Também são mais duradouras e, portanto, têm chances de sucesso bem maiores.

Como existe apenas um único músculo da força de vontade para tudo, treiná-lo para uma atividade vai dar a você força para todas as outras também. Meu colega maratonista, que treinou sua força de vontade correndo, atualmente utiliza no trabalho, todos os dias, seu músculo fortalecido.

Como não interromper hábitos e como mantê-los

Hábitos podem ser interrompidos com relativa facilidade – por motivo de férias, doença ou mero esquecimento. Quando isso acontece, você precisa saber como retomá-los o mais rápido possível. Após uma pausa, muitas pessoas cometem um erro grave que assusta seu elefante e as faz abandonar o hábito de vez: querem recomeçar de onde pararam. Por exemplo, você passa um tempo doente e, quando se recupera, quer voltar a correr os mesmos 3 quilômetros com que havia se acostumado antes. Só que voltar imediatamente ao mesmo nível de intensidade é um choque dissonante para seu elefante, podendo despertar a aversão dele.

Se por acaso você tiver que interromper um hábito, volte ao início e **defina a menor meta possível**. Após poucas repetições você estará pronto para aumentá-la. As mudanças de hábito precisam ser sempre lentas.

O QUE FAZER QUANDO UM HÁBITO É INTERROMPIDO:

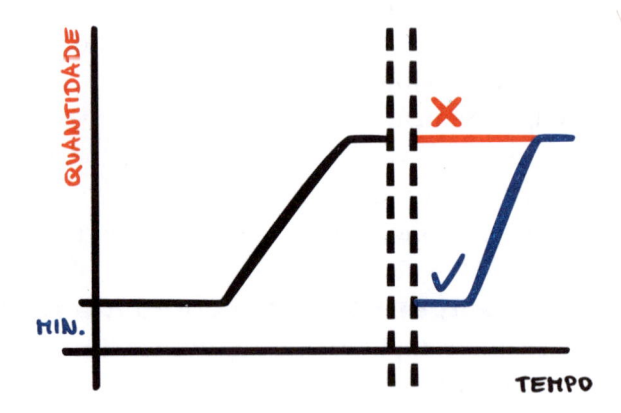

NÃO É UMA BOA IDEIA RECOMEÇAR DE ONDE VOCÊ PAROU, PARA NÃO CORRER O RISCO DE SOFRER PARALISIA. O MAIS SEGURO É VOLTAR À SUA META MÍNIMA. SÓ DEPOIS DE ALGUMAS REPETIÇÕES É QUE VOCÊ DEVE VOLTAR A AUMENTAR A META.

Como mudar maus hábitos e abandoná-los de vez

Os mesmos métodos para formar **novos hábitos** podem ser empregados para romper com **maus hábitos**. Reduza-os aos poucos, no estilo *kaizen*, até se livrar deles de vez.

Um cliente meu fumava um maço e meio de cigarros por dia. Após diversas tentativas frustradas de parar, já perdera a fé em si mesmo: achava que nunca conseguiria acabar com aquele mau hábito. Juntos, decidimos tentar com ele o método *kaizen*.

Ele determinou o limite de um maço por dia para o primeiro mês. Aquilo não despertou grande aversão no seu elefante. Superada a marca dos 20 dias, meu cliente começou, lentamente, a reduzir o consumo diário. Durante o segundo mês, ele foi de 20 para 15 e, depois, para 10 cigarros por dia. No terceiro mês, conseguiu reduzir para 5, até chegar, enfim, a zero. Hoje, ele pode afirmar com orgulho que não fuma há um ano e meio.

Usando o mesmo método, conseguimos transformar alcoólatras em abstêmios e sedentários crônicos em atletas. Um outro cliente meu conseguiu parar de roer as unhas e um terceiro aprendeu a gostar de passar roupa. Todas essas mudanças foram graduais e, por isso mesmo, duradouras.

Um recurso útil na sua luta contra os maus hábitos é **provocar aversão** de propósito. Coloque obstáculos no caminho do elefante. Por exemplo, "esconda" o ícone do aplicativo do Facebook em uma subpasta, reduzindo, assim, as chances de abri-lo com tanta frequência.

ROMPENDO COM MAUS HÁBITOS:

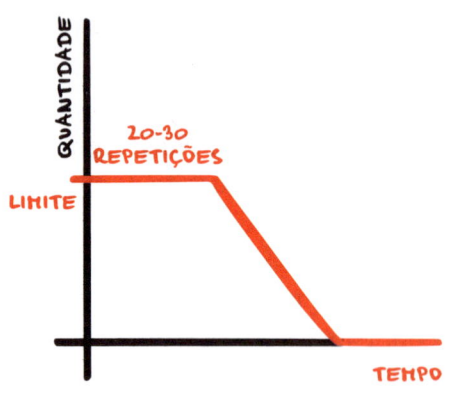

QUANTIDADE / **20-30 REPETIÇÕES** / **LIMITE** / **TEMPO**

PARA ACABAR COM UM MAU HÁBITO, PRIMEIRO VOCÊ PRECISA ESTABELECER UM LIMITE ACEITÁVEL. DEPOIS DISSO VOCÊ PODE COMEÇAR A REDUZIR A FREQUÊNCIA DESSE MAU HÁBITO. REDUZA AOS POUCOS, MAIS E MAIS, ATÉ ELIMINÁ-LO POR COMPLETO.

Um amigo meu usou esse princípio para deixar de fumar. Ele prometeu a si mesmo que para cada maço comprado daria 50 dólares a um pedinte na rua. Desse modo, o preço do maço aumentou absurdamente para ele, levando-o a parar de comprá-los. Aumentando a aversão, você consegue tornar quase tudo desagradável.

VOCÊ PODE CRIAR AVERSÃO EMOCIONAL DE PROPÓSITO, PARA DESESTIMULAR O ELEFANTE DE FAZER COISAS QUE O DOMADOR NÃO QUER QUE ELE FAÇA.

Meus colegas e eu compilamos descobertas sobre o domador e o elefante, recursos cognitivos e o desenvolvimento de hábitos e criamos uma ferramenta simples para exercitar o músculo da força de vontade diariamente: a *lista de hábitos*. Assim como a visão pessoal, essa é uma ótima ferramenta que vai ajudar você a combater a procrastinação.

FERRAMENTA: lista de hábitos

A **lista de hábitos** é uma ferramenta fundamental para que você desenvolva sua **disciplina**. Aos poucos, ela vai fortalecer seu músculo da força de vontade. Bastam três minutos por dia para usá-la, e ela ajudará você a fazer mudanças significativas e duradouras na sua vida.

Esse método consegue vencer a fraqueza que o neocórtex tem quando comparado com o sistema límbico (o emocional). A lista de hábitos incorpora descobertas de pesquisas sobre autorregulação e recursos cognitivos, bem como técnicas *kaizen* e regras para desenvolver hábitos.

A lista de hábitos vai ajudar você a acordar cedo, a se alimentar de maneira saudável, a se exercitar regularmente, a se concentrar nos estudos e a adquirir praticamente qualquer **hábito positivo**. Você também pode usá-la se quiser ajuda para controlar seus **maus hábitos**: parar de fumar, parar de apertar o botão soneca do despertador, deixar de comer demais, perder menos tempo na internet, parar de beber em excesso e parar de procrastinar.

Preencher a lista de hábitos vai se tornar um *meta-hábito*. O que isso significa? Resumidamente, que você vai adquirir o hábito de adquirir novos hábitos. Em certo sentido, a lista de hábitos é a espinha dorsal do desenvolvimento pessoal, uma das bases sobre as quais podemos continuar a construir.

Como funciona a lista de hábitos?

A base do método é uma tabela simples que você vai preencher todos os dias. Cada tabela corresponde a um mês. As linhas representam os dias e as colunas representam os hábitos – seja algo positivo que você gostaria de passar a fazer ou algo ruim de que gostaria de se livrar.

Dê um nome a cada hábito e coloque uma **meta mínima** para cada um (por exemplo, se quer acordar mais cedo, você pode chamar esse hábito de "acordar" e colocar 7h30 como meta). É importante definir a meta mais baixa possível, para não provocar aversão emocional em você e, sobretudo, no seu elefante. Por exemplo, sua meta para **atividade física** pode ser "10 flexões", "caminhar 5 minutos" ou "correr 200 metros". Quando não for possível definir uma meta objetiva (como no caso de **alimentação saudável**), você pode usar uma nota subjetiva, numa escala de 1 a 10.

O hábito da primeira coluna deve ser sempre preencher a própria **lista de hábitos**. E a última coluna deverá ser sempre o espaço para que você dê uma nota de **1 a 10**, fazendo uma avaliação subjetiva do **quão bem você realizou seu potencial naquele dia**. Você pode incluir quantos hábitos desejar, mas lembre que, em se tratando da lista de hábitos, menos é mais. Para começar, recomendamos de três a cinco hábitos. Quando você já estiver acostumado a usar a lista, fique à vontade para acrescentar hábitos novos à folha no mês seguinte.

A cada noite, preencha a linha correspondente àquele dia, registrando seu desempenho relativo a todos os hábitos anotados. Se você alcançou sua meta, marque a célula com uma **bolinha verde**. Se não alcançou, marque a célula com uma **bolinha vermelha**. Quando todos os hábitos do dia tiverem bolinha verde, você poderá colocar uma bolinha verde

LISTA DE HÁBITOS:

HÁBITO:	LISTA DE HÁBITOS	ACORDAR	CORRER	ÁLCOOL	...	POTENCIAL DIÁRIO
MÍN.:	TODOS OS DIAS	< 7H30	200 M	< 2 TAÇAS DE VINHO		1 A 10
1.						
2.					...	
3.						
4.						
5.						
⋮					...	

CADA LISTA DE HÁBITOS VALE PARA UM MÊS INTEIRO. CADA LINHA REPRESENTA UM DIA. AS COLUNAS CONTÊM HÁBITOS BONS E RUINS EM QUE VOCÊ GOSTARIA DE MELHORAR. DEFINA PARA CADA UM DELES UMA META QUE NÃO DESPERTE AVERSÃO.

na última coluna, que é onde você acompanha quão bem realizou seu potencial. Se algum hábito da linha tiver uma bolinha vermelha, a última coluna também precisa receber uma bolinha vermelha.

Geralmente, a lista de hábitos começa a mostrar resultados em poucos dias, e em algumas semanas você já nota grandes mudanças. À medida que começa a de fato formar novos hábitos, sua lista de hábitos vai ficando cada vez mais verde. Quando sua última coluna tiver mais de 20 bolinhas verdes seguidas, você pode começar a aumentar suas metas. Mas não apague as metas mínimas que você definiu, para saber de onde recomeçar em caso de interrupção do hábito.

Ideias para expandir o método

- **Bolinhas azuis** – Se você não conseguir manter um hábito por um ou mais dias por razões além do seu controle, marque aquela(s) célula(s) com uma bolinha azul. Por exemplo, se estiver doente ou viajando, é claro que não vai poder cumprir algumas das tarefas da sua lista de hábitos. Mas use as bolinhas azuis de maneira consciente, tomando cuidado para não cair na *racionalização*.* As bolinhas azuis não contam para a avaliação do seu potencial diário.

---

* A *racionalização* consiste em buscar justificativas racionais para comportamentos que normalmente seriam inaceitáveis. Em outras palavras, é seu cérebro dando desculpas esfarrapadas.

PREENCHENDO A LISTA DE HÁBITOS:

HÁBITO:	LISTA DE HÁBITOS	ACORDAR	CORRER	ÁLCOOL	...	POTENCIAL DIÁRIO
MÍN.:	TODOS OS DIAS	< 7H30	200 M	< 2 TAÇAS DE VINHO		1 À 10
1.	SIM 🟢	7H 🟢	200 M 🟢	0 🟢	...	9 🟢
2.	SIM 🟢	7H20 🟢	200 M 🟢	0 🟢		7 🟢
3.	SIM 🟢	7H 🟢	300 M 🟢	4 🔴		8 🔴
4.	SIM 🟢	9H30 🔴	0 M 🔴	0 🟢		5 🔴
5.	SIM 🟢	7H30 🟢	200 M 🟢	0 🟢		7 🟢
⋮	⋮	⋮	⋮	⋮	...	⋮

PREENCHA, TODAS AS NOITES, A LINHA CORRESPONDENTE ÀQUELE DIA NA SUA LISTA DE HÁBITOS. DESENHE UMA BOLINHA VERDE PARA CADA HÁBITO QUE VOCÊ CUMPRIU E UMA BOLINHA VERMELHA PARA CADA UM QUE NÃO CUMPRIU. MARQUE UMA BOLINHA VERDE NA ÚLTIMA COLUNA APENAS SE A LINHA INTEIRA ESTIVER VERDE.

- **Hábitos não diários** – Se você tiver tarefas habituais que não precisem ser feitas todos os dias (digamos, coisas que você faça dia sim, dia não), marque antecipadamente, com um x, as células dos dias "livres". Quando chegar a cada um desses dias, marque a célula com uma bolinha verde sobre o x.
- **Desafio dos 30 dias** – Recomendo escolher, a cada mês, um hábito no qual concentrar seus esforços. Você vai se esforçar para ter somente bolinhas verdes naquele hábito o mês inteiro. Destaque-o em vermelho na sua lista de hábitos. O desafio de 30 dias também pode servir para você testar se determinado hábito funciona para você. Talvez você queira testar como seria passar um mês sem beber, sem comer carne ou tomando um banho gelado pela manhã. Para quem está começando a usar a lista de hábitos, sugiro que seu primeiro desafio de 30 dias seja preencher a própria lista de hábitos.
- **Linha do recomeço** – Se você não conseguir manter sua lista de hábitos (ou seja, se tiver bolinhas vermelhas demais ou se esquecer de preenchê-la por vários dias), trace uma linha preta grossa. Então se perdoe e recomece. A linha preta vai ajudar você a recomeçar, dessa vez melhor. Assim como as bolinhas azuis, a linha do recomeço também deve ser usada com bom senso; não abuse desse recurso. Duas por mês já é meio suspeito.

EXTENSÕES DA LISTA DE HÁBITOS:

HÁBITO:	LISTA DE HÁBITOS	ACORDAR	ATIVIDADE FÍSICA: CORRER	ATIVIDADE FÍSICA: ACADEMIA	...	POTENCIAL DIÁRIO
MÍN.:	TODOS OS DIAS	< 7H30	200 METROS	1X POR SEMANA		1 A 10
1.	NÃO 🔴	7H 🟢	0 M 🔴	X 🟢		6 🔴
2.	NÃO 🔴	7H20 🟢	0 M 🔴	X 🟢		5 🔴
3.	SIM 🟢	7H 🟢	300 M 🟢	SIM 🟢		8 🟢
4.	SIM 🟢	7H30 🟢	DOENTE 🔵	X 🟢		6 🟢
5.	SIM 🟢	7H30 🟢	DOENTE 🔵	X 🟢		7 🟢
⋮	⋮	⋮	⋮	⋮	...	⋮

MARQUE EM VERMELHO O HÁBITO ESCOLHIDO PARA SEU DESAFIO DE 30 DIAS E TENTE CUMPRIR 100% DELE. SE NÃO CONSEGUIR CUMPRIR ALGUM POR RAZÕES QUE FUJAM AO SEU CONTROLE, COLOQUE AO LADO UMA BOLINHA AZUL. PARA TAREFAS QUE NÃO PRECISAM SER FEITAS TODOS OS DIAS, RISQUE AS CÉLULAS COM UM X ANTECIPADAMENTE E, QUANDO CHEGAR AQUELE DIA, MARQUE-AS COM UMA BOLINHA VERDE. SE VOCÊ ESQUECER OU IGNORAR SUA LISTA DE HÁBITOS POR UM TEMPO, PODE RECOMEÇAR TRAÇANDO UMA LINHA PRETA GROSSA.

Por que a lista de hábitos funciona?

- **Simplicidade** – Assim como os demais métodos deste livro, este também é bem simples. A simplicidade aumenta as chances de você não protelar seu uso. Há uma frase atribuída a Leonardo da Vinci que diz: "*A simplicidade é a sofisticação suprema.*"
- **Regularidade** – Ser lembrado todo dia dos hábitos que você gostaria de ter faz você realmente se esforçar e torná-los duradouros. Lembretes regulares ajudam a combater uma das principais tendências do nosso cérebro: o esquecimento.
- **Tangibilidade** – É crucial que sua lista de hábitos esteja no papel, e não apenas registrada de forma eletrônica. Quando você dispõe da sua lista de hábitos por escrito, cria um envolvimento com ela. Mesmo o minúsculo esforço de clicar com um mouse algumas vezes, ligar o computador ou abrir um aplicativo pode se tornar uma barreira ao uso da lista de hábitos. Além disso, é mais difícil ignorar um registro físico, ainda mais se você deixá-lo bem debaixo do seu nariz – na escrivaninha ou na mesa de cabeceira.
- **Feedback visual imediato** – A lista de hábitos consegue lhe mostrar muito rápido exatamente como você está se saindo em cada hábito. No início, não importa muito se você tem mais bolinhas verdes ou vermelhas, o que importa é o feedback. E a lista de hábitos é como um espelho. Após algumas semanas de uso, você vai ver as bolinhas verdes se multiplicarem quase automaticamente e vai começar a ter dias sem nenhum vermelho.

- **Relacionamento com sua visão** – Os hábitos da sua lista devem corresponder à sua visão pessoal. Um deles pode até ser a leitura diária da sua visão. Eu mesmo incluí essa coluna na minha lista de hábitos. É importante saber o porquê de cada hábito, e a resposta deve estar contida na sua visão pessoal.

Possíveis riscos

- **Superestimar suas habilidades** – O erro mais comum é superestimar as próprias habilidades e definir objetivos ambiciosos demais ou tentar fazer um monte de mudanças de uma vez. Lembre-se: em se tratando da lista de hábitos, menos é mais. Seja contido principalmente no começo. Tome goles pequenos, para não acabar engasgando. Com o tempo, você vai descobrir quais metas e quantos hábitos funcionam melhor para você, e aí vai conseguir ajustar o grau certo das suas metas.
- **Dois "nãos" virarem um "nunca"** – Se você deixou de cumprir algum hábito hoje, faça de tudo para cumpri-lo amanhã. Senão, as chances de abandoná-lo para sempre crescem significativamente.
- **Imprima sua lista de hábitos com um mês de antecedência** – Como cada lista de hábitos cobre um mês inteiro, criar uma lista nova é um momento crucial. Portanto, sempre prepare a sua com bastante antecedência. Nós criamos um modelo para você. Se quiser adotá-lo, está disponível em **www.sextante.com.br/livros/o-fim--da-procrastinacao**, na seção "Conteúdos especiais". Por precaução,

tenha sempre uma lista reserva já impressa. Ficar sem canetas coloridas (ou mesmo procrastinar para comprá-las pela primeira vez) pode causar problemas semelhantes.

- **Racionalização** – Seu cérebro muitas vezes vai inventar desculpas para não usar a lista de hábitos. Algumas das mais comuns são a recusa em "se comprometer com uma tabela" e o medo de se sentir engessado, com a criatividade limitada. Na verdade, o que acontece é o contrário. Tenho clientes que são artistas gráficos e outros tipos criativos que usam a lista de hábitos para ter mais criatividade. Eles deixam que a lista se encarregue de partes importantes do seu desenvolvimento pessoal e, assim, têm mais tempo, paz, tranquilidade e até mais energia para se dedicar às suas atividades criativas.
- **Procrastinar o preenchimento** – O principal risco desse método é você não preencher sua lista de hábitos regularmente. Fazer isso todos os dias é de extrema importância para conseguir superar a procrastinação. Se deixar de preenchê-la um dia, basta marcar a primeira coluna (referente ao hábito de preencher a lista) com uma bolinha vermelha no dia seguinte. Se você pular vários dias, é importante preencher todas as linhas faltantes logo que retomar sua lista. Caso você esqueça de preencher a lista de hábitos por mais de cinco dias, deixe essas linhas em branco e recomece o mais rápido possível, traçando uma linha preta grossa para marcar a divisão. A mesma ideia para sua visão pessoal se aplica aqui: não procrastine seu combate à procrastinação.

COMO USAR A LISTA DE HÁBITOS:

1) IMPRIMA-A UM MÊS ANTES (OU DOIS, DE PREFERÊNCIA)
2) DEFINA OS HÁBITOS A ADOTAR OU MUDAR E ESTABELEÇA A META MÍNIMA DE CADA UM
3) CUIDADO PARA NÃO SE SUPERESTIMAR – NÃO ASSUSTE SEU
4) PREENCHA UMA LINHA POR DIA
5) MARQUE CADA META CUMPRIDA COM UMA BOLINHA VERDE 🟢
6) MARQUE CADA META NÃO CUMPRIDA COM UMA BOLINHA VERMELHA 🔴
7) AVALIE QUANTO VOCÊ REALIZOU SEU POTENCIAL NAQUELE DIA DANDO UMA NOTA DE 1 A 10
8) AS CORES DAS BOLINHAS NÃO SÃO TÃO IMPORTANTES, O ESSENCIAL É PREENCHER A LISTA TODO DIA
9) DE TEMPOS EM TEMPOS, LEIA SUA VISÃO PESSOAL PARA RELEMBRAR POR QUE ESTÁ FAZENDO ESSAS COISAS
10) NÃO PROCRASTINE O PREENCHIMENTO DA LISTA DE HÁBITOS!!!

ALGUMAS DICAS EXTRAS:

+) SE VOCÊ DEIXAR DE CUMPRIR ALGUMA COISA POR RAZÕES QUE ESTEJAM FORA DO SEU CONTROLE, MARQUE COM UMA BOLINHA AZUL 🔵
+) PARA HÁBITOS QUE NÃO SÃO DIÁRIOS, MARQUE COM UM X AS CÉLULAS DOS DIAS "LIVRES"
+) ESCOLHA UM ÚNICO HÁBITO PARA TENTAR REALIZAR 100% DURANTE TODO O MÊS
+) SE ESQUECER DE PREENCHER SUA LISTA DE HÁBITOS POR UM OU MAIS DIAS, RECOMECE

... SÓ MAIS UMA COISA: COMPRE ALGUMAS CANETAS COLORIDAS 🟢🔴🔵

Faz mais de três anos que eu uso uma lista de hábitos todos os dias. Graças a ela, passei a acordar cedo, a tomar uma ducha fria pela manhã e a praticar atividade física. Graças a ela, repito regularmente minha visão pessoal para mim mesmo e sei por que quero viver cada dia o mais plenamente possível.

Certa vez, me desafiei a cortar o álcool por um mês inteiro. Foi um experimento bem interessante. Tive incomparavelmente mais energia do que quando tomava umas taças de vinho antes de ir dormir. Graças ao que aprendi com essa experiência, hoje em dia quase não bebo.

Minha lista de hábitos também me treinou a ler e ver vídeos educacionais todos os dias, mudou minha alimentação e me ensinou a planejar minhas tarefas para cada dia. Posso até afirmar que sem ela eu nunca teria terminado de escrever este livro e minha empresa não existiria. Graças à lista de hábitos, meu elefante está mais domado do que nunca.

Paralisia decisória

Durante uma sessão de consultoria, a diretora de uma empresa relativamente grande me contou que com frequência passava muito tempo sem fazer nada no trabalho. Simplesmente não sabia por onde começar. Eram tantas obrigações a cumprir que ela se sentia exausta só de ter que escolher a primeira tarefa e acabava regando as plantas do escritório.

Um outro cliente meu tinha mais de mil e-mails não abertos em sua caixa de entrada. Só de olhar aquilo ele ficava totalmente sem energia. Mais tarde, essa energia lhe fazia falta para tarefas mais importantes.

Em ambos os casos, a ineficácia e a procrastinação tinham origem na **paralisia decisória**.

Essa paralisia, que resulta do excesso de opções e da falta de autorregulação, é a segunda maior causa da baixa eficácia e da improdutividade. Se você quer combater a procrastinação, precisa encontrar uma maneira de lidar com a paralisia decisória no longo prazo.

Todo dia nos defrontamos com muitas decisões a tomar, e às vezes é tão difícil escolher que nos sentimos esgotados. Tal como as tarefas desagradáveis, a tomada de decisão consome recursos cognitivos e desgasta o músculo da força de vontade.[61] Você pode ficar cansado a ponto de não restar energia para fazer o trabalho real. Diante da necessidade de escolher entre duas coisas importantes (a tarefa A ou a tarefa B), tendemos a não fazer nada ou escolher a trivial tarefa C.

Quanto mais numerosas e mais difíceis as opções à sua frente, mais paralisado você vai se sentir. Abrir um e-mail em 10 não é tão difícil quanto abrir um em mil. O ato de escolher desperta em você, ou melhor, no seu elefante, o mesmo tipo de aversão que uma tarefa grande e complicada. Por isso você protela a tomada de decisão. E adiar decisões é adiar as ações baseadas nessas decisões.

Um amplo estudo feito com os clientes de uma das maiores seguradoras americanas mostrou que quanto mais planos de previdência privada havia, menos as pessoas de fato poupavam para sua aposentadoria.[62] Quando existem mais opções de planos de previdência disponíveis, torna-se mais improvável que as pessoas consigam se decidir por um deles.

Para cada 10 novas opções no mercado de previdência privada americano, a quantidade de poupadores cai cerca de 2%. Veja: tendo 5 opções disponíveis, 70,1% das pessoas tomam uma decisão; já com 15 planos diferentes entre os quais escolher, apenas 67,7% se decidem; com 35 opções disponíveis, 63% das pessoas conseguem escolher um plano de aposentadoria. Apesar disso, a tendência geral no mercado é que o número de planos de previdência privada se multiplique. A paralisia resultante disso já fez com que muita gente simplesmente parasse de poupar para a aposentadoria.

Em outro estudo interessante, centenas de médicos foram apresentados ao caso de um paciente com um problema no quadril.[63] De acordo com o cenário apresentado pelos pesquisadores, o médico que acompanhava o paciente já havia tentado todos os medicamentos possíveis,

QUANDO VOCÊ TEM QUE ESCOLHER ENTRE DUAS OPÇÕES **IMPORTANTES MAS MUITO DIFERENTES (A E B)**, TENDE A NÃO ESCOLHER **NENHUMA** OU ESCOLHER UMA **TERCEIRA OPÇÃO QUE SEJA TRIVIAL**.

sem sucesso, então o encaminhara a um especialista para substituição total da articulação do quadril por uma prótese. Os médicos foram divididos em dois grupos e cada um ouviu dos pesquisadores uma versão diferente da história.

A versão contada ao primeiro grupo foi que o médico do paciente havia esquecido de testar **um medicamento**. À luz dessa nova informação, os pesquisadores perguntaram o que os médicos fariam. Nessa situação, 72% deles sugeriram cancelar o encaminhamento à cirurgia e orientar o paciente a testar o remédio que faltava.

A segunda versão da história era bem semelhante, mas com uma única diferença: o médico do paciente havia esquecido de testar **dois medicamentos**. De novo, foi feita a pergunta sobre o que os médicos fariam. Nesse segundo cenário, 47% dos médicos afirmaram que encaminhariam o paciente para cirurgia. Ter que escolher entre dois medicamentos dificultou o processo de tomada de decisão. Como resultado, o número de médicos que protelou tomar qualquer decisão aumentou, e, por consequência, o paciente teria que passar pela cirurgia.

A dificuldade em tomar decisões não é o único problema causado pela paralisia. Mesmo quando você consegue escolher uma opção entre muitas, aumenta a probabilidade de que, mais à frente, você venha a se arrepender de sua decisão.[64]

O fato de existirem outras opções nos leva a imaginar: *"E se eu tivesse feito uma escolha diferente?"* Pensar em outras possibilidades deixa você menos satisfeito com aquela pela qual se decidiu. Claro que, se isso

PARALISIA DECISÓRIA - PESQUISA:

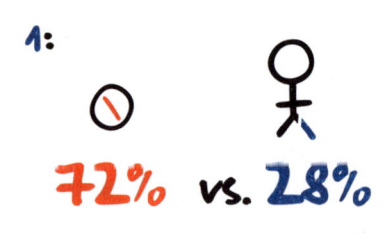

1:

72% vs. 28%

2:

53% vs. 47%

Quanto mais difícil a decisão, maior é a probabilidade de você simplesmente não tomar decisão nenhuma. Uma opção de remédio a mais aumentou consideravelmente o número de médicos que indicariam a cirurgia para o paciente.

envolver uma faculdade, um emprego ou um parceiro para a vida, não é uma situação muito legal.

Outra pesquisa procurou avaliar quanto as pessoas se arrependem de suas decisões. Nesse experimento, os pesquisadores publicaram um anúncio oferecendo um curso de fotografia.[65] Durante o curso, os alunos tiraram várias fotos e, no final, foram informados de que poderiam imprimir suas duas preferidas entre as que haviam tirado no período.

Uma vez impressas, os alunos foram informados de que só poderiam levar uma delas para casa. Um grupo de participantes precisou escolher na hora qual levaria, sabendo que **no futuro não poderia mudar de ideia**, enquanto o segundo grupo teve a opção de **alterar sua decisão no futuro**: eles poderiam devolver a foto escolhida e levar a outra. Ao medir a satisfação dos alunos com a foto escolhida, os pesquisadores descobriram que o grupo que teve a oportunidade de mudar de ideia ficou bem menos satisfeito com a foto escolhida em comparação com aqueles que não tiveram a chance de voltar atrás em sua escolha.

O mesmo estudo testou também se as pessoas conseguiam prever sua felicidade futura. Um grupo diferente de participantes pôde escolher entre dois cursos: no primeiro, os alunos poderiam levar para casa uma só foto e não poderiam mudar de ideia, enquanto o segundo curso permitia mudar de ideia.

Como o ser humano tende a deixar possibilidades em aberto, a maioria dos alunos escolheu o segundo curso. Só que, como demonstrado na primeira parte do experimento, os alunos do curso que oferecia a possibilidade de alterar sua escolha estavam bem menos satisfeitos que os do outro curso.

Esse estudo mostra por que é uma boa ideia fechar a tesoura do potencial intencionalmente, com a ajuda da sua visão pessoal, e escolher somente oportunidades com que você consiga se comprometer por completo.

Como aplicar ao dia a dia essas informações sobre as causas da paralisia decisória? Como evitá-la e melhorar tanto em eficácia quanto em produtividade?

Para combater esse problema, você vai precisar aprender a arte de conscientemente minimizar a quantidade de decisões a tomar ao longo do seu dia. E, quando de fato precisar tomar uma decisão, simplifique e sistematize ao máximo o processo.

Quais tarefas mais ajudarão você a realizar sua visão pessoal? Na hora de priorizar tarefas, é sempre uma boa ideia escolher aquelas que se relacionam com sua visão. Também vale a pena usar um sistema de gestão de tarefas que ajude você ainda mais a enfrentar a paralisia.

A maioria das ferramentas de gestão do tempo, porém, não leva em conta a paralisia decisória. São listas de tarefas em que você se vê obrigado a fazer uma escolha várias e várias vezes ao longo do dia. Por isso, criamos o método que chamamos de *mapa do dia,* para ajudá-lo a planejar cada dia de um modo que você não acabe esgotado pela paralisia decisória. O **mapa do dia** vem se somar à **visão pessoal** e à **lista de hábitos**, sendo uma terceira ferramenta essencial para acabar de vez com a procrastinação.

FERRAMENTA: mapa do dia

Às vezes eu lido com pessoas que estão à beira do colapso. Um gerente de projetos certa vez me descreveu sua situação assim: tinha que fazer mais coisas do que o tempo permitia. Novas tarefas surgiam mais rápido do que sua capacidade de processá-las. O resultado disso era um elevado nível de estresse, que prejudicava seu sono. Por consequência, ele se sentia sem energia e incapaz de realizar as tarefas de maneira produtiva.

Ele me confidenciou que se sentia como um besouro-do-esterco rolando uma bola de fezes cada vez maior diante de si. Sua bola de problemas crescera tão absurdamente que o estava esmagando.

QUANDO VOCÊ NÃO ENFRENTA OS PROBLEMAS, ELES TENDEM A CRESCER ATÉ ESMAGAR VOCÊ.

Durante nossas sessões, meu cliente aprendeu a usar o método **mapa do dia**, que o ajudou a enfrentar diariamente as tarefas mais importantes e urgentes. Com o tempo, ele aprendeu a estabelecer limites e a delegar aquelas tarefas que não precisavam ser feitas diretamente por ele.

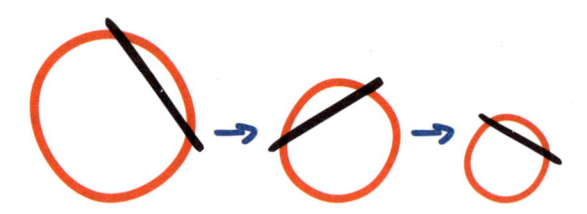

PARA COMEÇAR A REDUZIR SUA BOLA DE PROBLEMAS, CUMPRA AS TAREFAS MAIS IMPORTANTES DE CADA DIA, ESTABELEÇA LIMITES PARA NOVAS TAREFAS E DELEGUE ALGUMAS, QUANDO FOR POSSÍVEL.

Um mês após nosso primeiro encontro, um novo homem apareceu no meu escritório. Ele me contou que vinha dormindo muito melhor e que seus dias tinham ganhado ordem, permitindo-lhe fazer o triplo de atividades que fazia antes.

O método mapa do dia pode aumentar enormemente sua **produtividade** e sua **eficácia**. Ele vai ajudar você a se desvencilhar das forças propulsoras da baixa disciplina, a combater a paralisia decisória e a reduzir a aversão de seu elefante à realização de tarefas grandes e complicadas. Em suma, essa ferramenta não apenas aumentará as chances de você realmente começar a cumprir suas tarefas, mas também aumentará as chances de completá-las.

Para gerenciar tarefas, as pessoas costumam usar diversos tipos de listas, ferramentas e até métodos abrangentes (como o GTD e o ZTD).* Ao longo de anos, testamos mais de 100 ferramentas, programas e aplicativos. Selecionamos, a partir disso, os melhores atributos, depois os simplificamos e os combinamos às mais recentes descobertas das áreas da neurociência, da motivação e da eficácia. Foi assim que desenvolvemos o método mapa do dia.

O principal aspecto distintivo do nosso método é que ele **não usa listas**. Em vez disso, usa *mapas mentais*, para que você tenha um esquema claro das informações de que precisa. Como o córtex visual é a parte mais desenvolvida do cérebro humano, esse método é mais natural.

Por conta da disposição linear, as listas não deixam muito claras as relações entre tarefas, prioridades e vínculos temporais. Existem várias outras desvantagens em usar listas, entre elas a tendência das pessoas a fazê-las longas demais. Por serem longas, elas criam aversão emocional, que, por sua vez, dá margem à procrastinação. Listas longas também contribuem para a paralisia decisória. Desse modo, as pessoas preferem

---

*   **GTD** = Getting Things Done (Realizar as Coisas), do livro *A arte de fazer acontecer*, de David Allen.
ZTD = Zen to Done (Zen para Realizar), do livro homônimo de Leo Babauta.

esconder suas listas ou até desistem de usá-las. O *mapa do dia* não tem essas falhas.

Como completar um número maior de tarefas? Como reduzir a aversão às obrigações e a paralisia? Como aprender a planejar seu dia inteiro e, assim, se sentir mais em paz?

O mapa do dia é uma ferramenta abrangente para gerenciamento de tarefas diárias. Você pode adotá-lo por completo ou, caso já use algum sistema, pode extrair os princípios do mapa do dia e incorporá-los como melhorias a esse sistema existente.

Como funciona o mapa do dia?

Os 10 princípios a seguir vão aumentar muito a quantidade de tarefas que você consegue cumprir diariamente. Esses princípios podem ajudá-lo a viver cada dia plenamente sem assustar seu elefante, sem sofrer de paralisia decisória e sem se sentir exausto no fim do dia.

- **Anote as tarefas** – Pegue um papel e escreva em qualquer parte, em qualquer ordem, tudo que você gostaria de realizar hoje.
- **Dê a cada tarefa um nome concreto e agradável** – Dessa maneira você vai conseguir visualizar melhor em que consiste a tarefa e, assim, reduzir sua aversão a ela. Por exemplo, "Ligar para o mecânico" não provoca sensações negativas porque não é abstrato como "Mecânico". A clareza ao visualizar as tarefas vai eliminar o medo do desconhecido e a incerteza.

LISTAS NÃO SÃO IDEAIS PARA PLANEJAR TAREFAS. QUANTO MAIS LONGAS, MAIS AVERSÃO PROVOCAM E MAIS AGRAVAM A PARALISIA DECISÓRIA.

- **Desmembre as tarefas grandes e agrupe as pequenas** – Cada tarefa deve tomar de 30 a 60 minutos do seu dia. Se você precisa fazer algo mais complicado (como "Escrever um livro"), divida essa tarefa maior em várias menores ("Escrever dois parágrafos do livro"). Tarefas grandes e complicadas assustam seu elefante e, portanto, acabam sendo deixadas para depois. Ao desmembrar tarefas grandes, você consegue reduzir bastante a possível aversão a elas e, assim, reduz também os riscos de procrastinar.

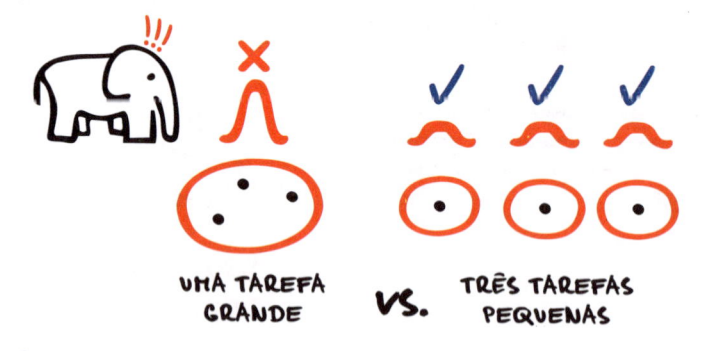

UMA TAREFA GRANDE **VS.** TRÊS TAREFAS PEQUENAS

TAREFAS GRANDES DESPERTAM MAIS AVERSÃO QUE AS PEQUENAS. VALE A PENA APRENDER A DIVIDIR BOCADOS GRANDES EM PORÇÕES MENORES.

Já tarefas muito pequenas ("Responder a um e-mail") devem ser agrupadas em uma única tarefa maior ("Responder a todos os e-mails" ou "Responder aos 20 e-mails mais importantes"). Criar lotes evita que você desvie sua atenção entre diferentes atividades tantas vezes e, assim, não interrompe seu fluxo durante o dia.

MAPA DO DIA:

TAREFA 6   TAREFA 2

TAREFA 1

TAREFA 4

TAREFA 5   TAREFA 3

- **Use cores para definir prioridades** – Circule de vermelho as tarefas de prioridade máxima (aquelas que são importantes e urgentes), em azul as de prioridade média (importantes mas não urgentes) e em verde as de menor prioridade (aquelas que não vão causar o fim do mundo se você não as fizer, mas que seria legal fazer naquele dia).

MAPA DO DIA:

- TAREFA 6
- TAREFA 2
- TAREFA 1
- TAREFA 4
- TAREFA 5
- TAREFA 3

- **Defina o percurso para aquele dia** – Conecte suas tarefas com setas, formando a melhor sequência para realizá-las. Comece pelas mais difíceis e mais importantes, para aproveitar que no início do dia seus recursos cognitivos ainda estão altos. Tente alternar entre tarefas difíceis e outras mais fáceis, e entre tarefas criativas e rotineiras. O "caminho" que você cria é crucial no combate à paralisia decisória, para que você não perca tempo durante o dia pensando no que deveria estar fazendo.

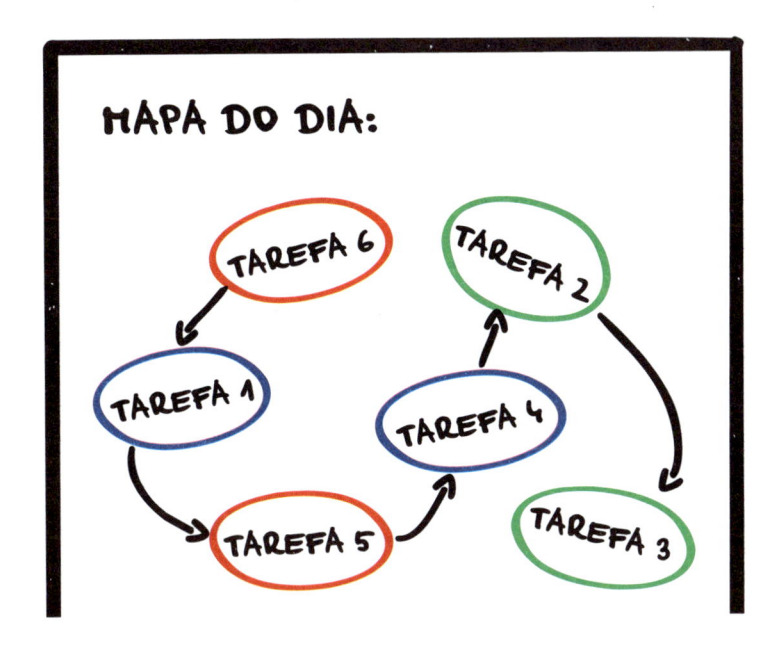

MAPA DO DIA:

TAREFA 6 → TAREFA 1 → TAREFA 5 → TAREFA 4 → TAREFA 2 → TAREFA 3

- **Faça estimativas de tempo** – Tente determinar a duração aproximada de cada tarefa: escreva a que horas vai começar a fazê-la e a que horas pretende terminar. Tente cumprir esses horários como se fossem compromissos importantes marcados com outras pessoas. No início, você não vai acertar com precisão as suas estimativas, mas, à medida que ganhar experiência, vai melhorar nisso. Ao definir uma hora exata para começar uma atividade, você aumenta as chances de começá-la. Afinal, como costumam dizer, "*Começar já é meio caminho andado*".

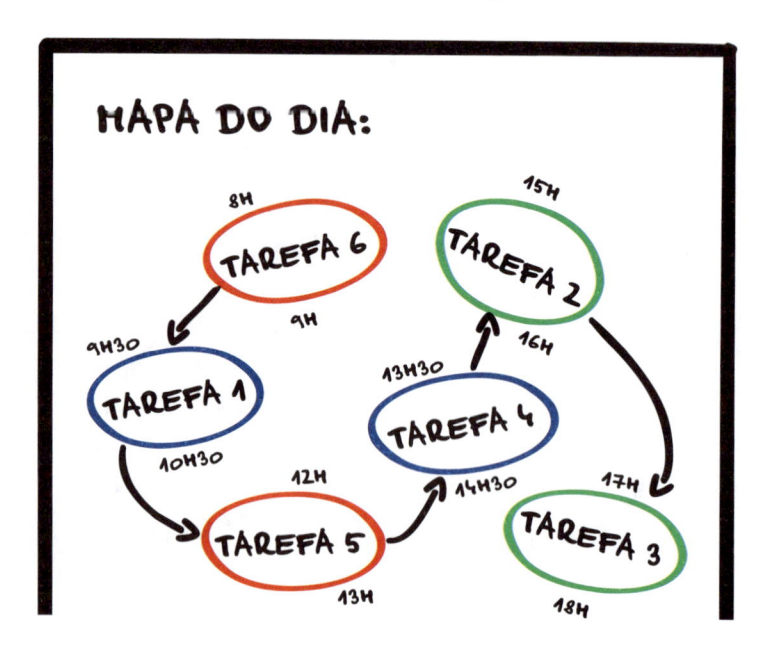

MAPA DO DIA:

- 8H → TAREFA 6 → 9H
- 9H30 → TAREFA 1 → 10H30
- 12H → TAREFA 5 → 13H
- 14H30 → TAREFA 4 → 13H30
- 16H → TAREFA 2 → 15H
- 17H → TAREFA 3 → 18H

- **Concentre-se em uma coisa de cada vez** – Quando você começar a trabalhar numa tarefa, mantenha seu foco somente nela. Se for útil, desligue as notificações do e-mail e do celular ou peça aos seus colegas de trabalho que não interrompam você. Limpe e organize sua mesa para diminuir o número de distrações. Quando você faz uma coisa de cada vez, é mais fácil entrar no estado de fluxo e, graças à paz que você criou, é mais fácil também mantê-lo.
- **Saiba a hora de parar** – Ao concluir a tarefa, risque-a para ter a sensação de encerramento. Algumas pessoas têm dificuldade não apenas em começar, mas também em encerrar as atividades. Na primeira vez que você tiver nas mãos um mapa do dia com todas as tarefas riscadas, vai entender a importância desse passo.
- **Recarregue seus recursos cognitivos** – Planeje pequenos intervalos para recuperar as energias entre uma tarefa e outra. A cada seta que chegar, faça algo que renove seu músculo da força de vontade: dê a volta no quarteirão ou vá a um parque próximo; beba um suco natural ou aumente o açúcar no sangue comendo um pedaço de fruta. Deixe seu cérebro descansar um pouco. Se você acabou de concluir uma tarefa criativa, o ideal é que a próxima seja algo mecânico. As pausas só devem durar alguns minutos, mas ajudarão a manter a concentração e a energia até a noite. Não descanse só quando sentir necessidade; faça pausas regulares ao longo do dia, como uma maneira de se prevenir.
- **Transforme em hábito a criação do mapa do dia** – O ideal é preparar o mapa do dia seguinte na noite da véspera. Você verá como vai

dormir melhor sabendo que tem o dia seguinte todo planejado. Mas também é possível fazê-lo como a primeira atividade da sua manhã. O último item do seu mapa do dia pode ser "Preparar o mapa do dia de amanhã" ou "Preencher a lista de hábitos". Você pode até incluir na sua lista de hábitos a preparação do seu mapa do dia, para não esquecer de fazê-lo.

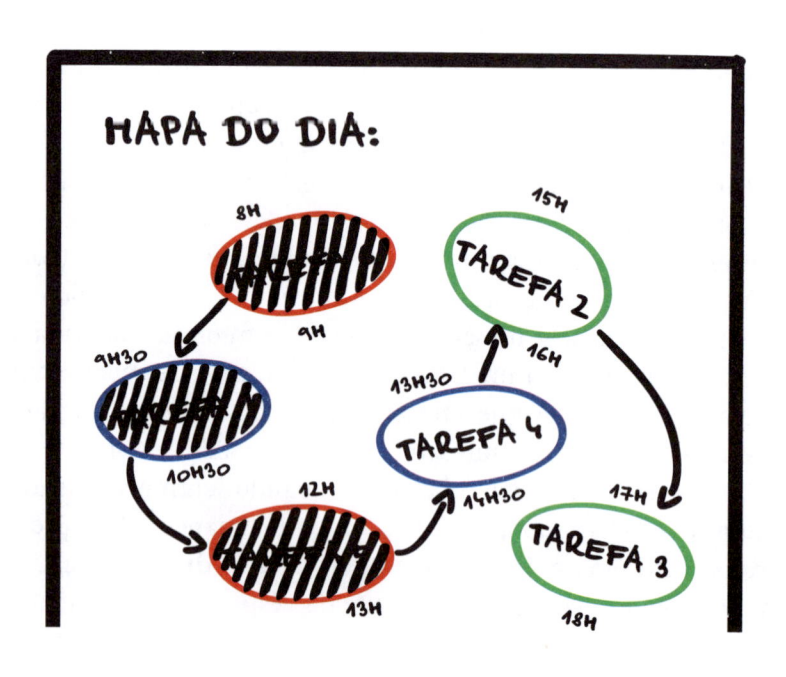

Por que o mapa do dia funciona?

- **É tangível e simples** – Assim como a lista de hábitos e a visão pessoal, seu mapa do dia está escrito no papel. Além disso, para vencer a procrastinação, é muito importante que os métodos utilizados sejam os mais simples possíveis. Por conta disso, o mapa do dia foi elaborado de modo a não ter nenhum elemento desnecessário. Complexidade desnecessária causa aversão. Como disse Antoine de Saint-Exupéry, "*a perfeição é alcançada não quando não há mais nada a acrescentar, mas quando não resta mais nada para retirar*".
- **É visual** – Ao usar cores para estabelecer prioridades, basta um rápido olhar para saber o que aguarda você naquele dia. Além disso, o caminho visual elimina a paralisia decisória. Se você deixar seu mapa do dia na sua escrivaninha ou na sua mesa de trabalho, só de olhar para ele vai saber o que precisa fazer e quando.
- **Limpa a mente** – Ao anotar suas tarefas no papel, você tira da sua cabeça as coisas que precisa fazer. Nosso cérebro consegue manter em torno de seis pensamentos na memória operacional;[66] se esse espaço é preenchido por tarefas a cumprir, sua capacidade mental fica limitada e você não consegue trabalhar com a mesma eficácia nem pensar com tanta criatividade.

Possíveis riscos

- **Superestimar a própria eficiência** – Comece a usar o método anotando apenas quatro ou cinco tarefas por dia. É melhor planejar menos coisas e realmente cumpri-las do que planejar um monte de afazeres e não conseguir cumprir todos. Com o tempo você vai descobrir a quantidade ideal de tarefas para você.

- **Errar na estimativa do tempo** – Ao programar suas tarefas, reserve sempre algum tempo extra. Se você terminar uma tarefa antes do planejado, faça uma pequena pausa e já comece a trabalhar na próxima, antes do horário estipulado. Caso termine mais tarde do que o planejado, também não deixe de fazer uma breve pausa antes de começar a tarefa seguinte. Pode ser que no início você não consiga avaliar direito quanto tempo cada tarefa levará, mas não tem problema. À medida que ganhar experiência, você vai melhorar no planejamento do tempo.
- **Aparecerem imprevistos** – Se acontecer de surgir alguma tarefa urgente durante o dia, você pode fazê-la na hora (se houver um foco de incêndio em algum lugar, apague), ou pode criar um desvio no seu mapa do dia. Na pior das hipóteses, crie um novo mapa. Vai levar apenas alguns minutos e permitirá que você seja mais eficiente pelo resto do dia.

Ideias para expandir o método

- **Primeira coisa de manhã** – Já que nossos recursos cognitivos estão no nível máximo no início do dia, recomendamos que a primeira tarefa do seu mapa do dia seja a mais importante (e talvez a mais desagradável). Depois que você fizer essa, todos os outros itens planejados para aquele dia vão parecer fáceis, comparativamente.

- **Dois caminhos** – Se algumas das suas tarefas exigirem que você aguarde outra pessoa ou se você for resolver imprevistos, recomendamos que marque dois caminhos independentes no seu mapa do dia. O segundo não precisa incluir horários exatos e você pode realizar cada tarefa conforme a situação permitir. Assim você vai ter um plano B caso seu primeiro caminho não possa ser seguido (porque, digamos, você depende de outra pessoa).

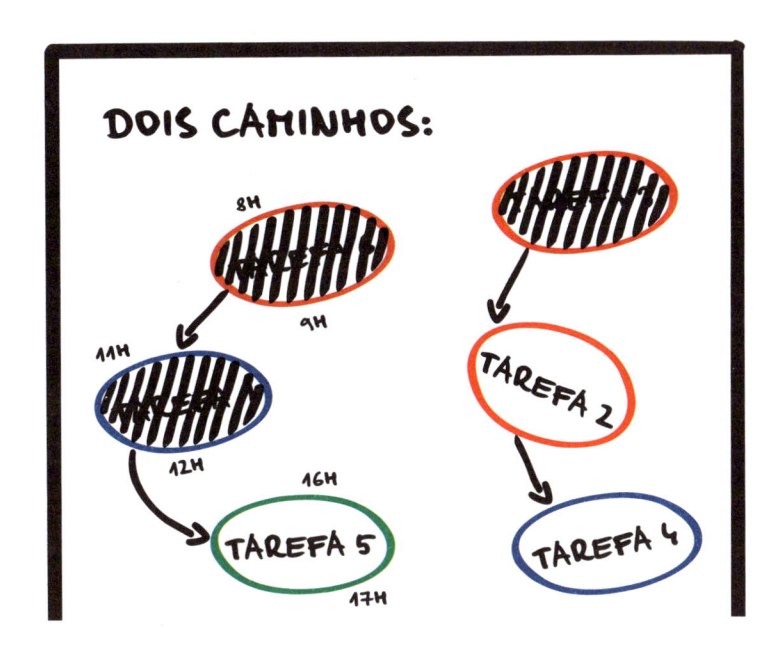

Lista de tarefas, lista de ideias e agenda

Você pode usar o mapa do dia sozinho ou como parte de um sistema mais amplo. Pode acrescentar uma parte chamada *lista de tarefas*, onde incluirá todos os afazeres que não estão na ordem do dia. A lista de tarefas é como um depósito, contendo tudo que você vai precisar fazer no futuro. Seu formato é bastante semelhante ao do mapa do dia, com as seguintes diferenças: pode consistir em várias folhas, as tarefas não precisam estar ligadas por setas e não é necessário indicar horários nem prioridades.

Um segundo componente que você pode acrescentar é a chamada *lista de ideias*. Nessa lista você vai anotar coisas que não quer esquecer, mas que não pertencem ao mapa do dia nem à lista de tarefas. Ela é útil para armazenar todas as suas ideias essenciais num só lugar, de modo que você não precise "resgatá-las" a todo momento.

A última parte desse sistema é a clássica *agenda*, que contém apenas compromissos com horário definido: encontros marcados, reuniões e outros eventos programados.

Sempre que você for criar um novo mapa do dia, selecione itens das listas de tarefas e de ideias e da agenda. Todas as tarefas que você transferir para o mapa do dia devem ser riscadas do papel de onde foram extraídas. Assim, nesse sistema cada item só pode estar em um único lugar. Você pode baixar um modelo com instruções em **www.sextante.com.br/livros/o-fim-da-procrastinacao**, na seção "Conteúdos especiais".

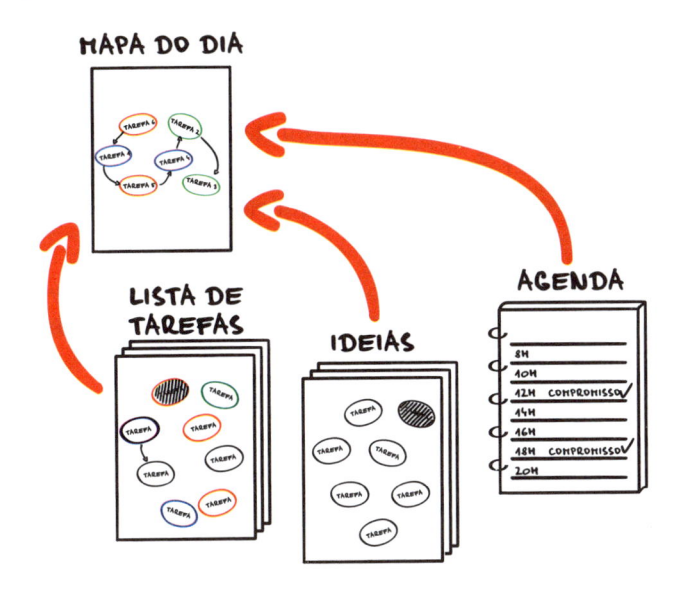

CRIANDO O MAPA DO DIA:

Como lidar com imprevistos?

Se durante o dia surgir **uma nova tarefa** a cumprir, veja algumas possibilidades de como agir:

- **Faça imediatamente** – Se surgir uma nova tarefa que seja extremamente importante (se algo estiver pegando fogo), resolva-a na mesma hora (apague o incêndio). Você também deve fazer imediatamente tudo aquilo que for possível realizar muito rápido (digamos, em um minuto).
- **Inclua no mapa do dia** – Se for algo urgente e importante, algo a ser feito hoje mesmo, acrescente-a ao seu mapa do dia.
- **Anote na sua lista de tarefas** – Se a tarefa não for urgente, acrescente-a à sua lista de tarefas e deixe para fazê-la outro dia.
- **Anote na sua agenda** – Se for um compromisso com horário marcado (como uma reunião), anote na sua agenda.
- **Anote na sua lista de ideias** – Outra opção é incluir algumas tarefas na sua lista de ideias, caso não sejam muito importantes mas mesmo assim você queira garantir que não vai esquecê-las.
- **Delegue** – Sempre que surgir uma tarefa nova de última hora, avalie se é possível e adequado pedir a outra pessoa que a faça.
- **Descarte** – Se a nova tarefa não se enquadrar em nenhuma dessas categorias, às vezes você pode simplesmente descartá-la. Jogue na "lata de lixo" sem remorso. Aprender a arte de dizer não é importante para você desenvolver o bem-estar mental de longo prazo.

COMO LIDAR COM IMPREVISTOS:

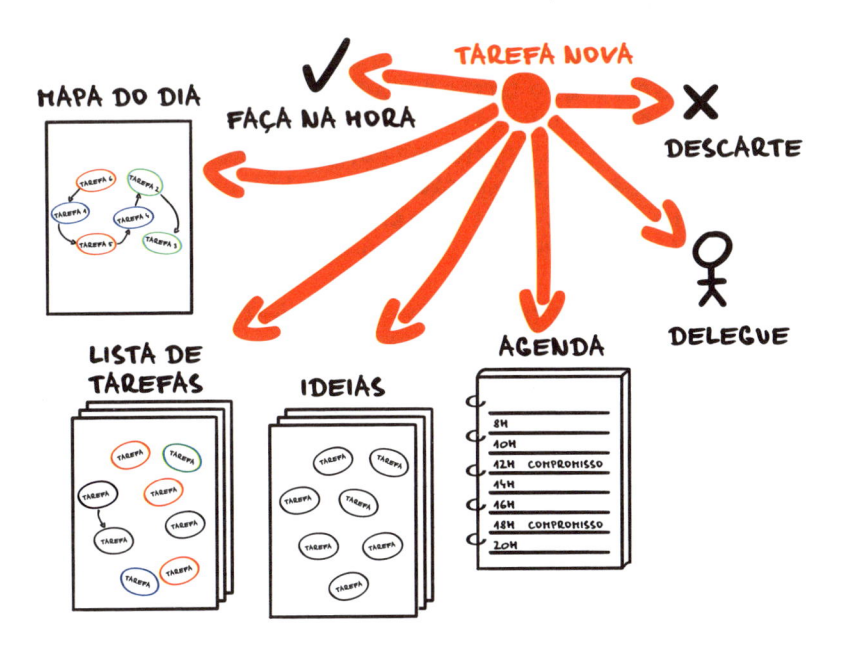

TAREFA NOVA

✓ FAÇA NA HORA

✗ DESCARTE

☿ DELEGUE

- MAPA DO DIA
- LISTA DE TAREFAS
- IDEIAS
- AGENDA

COMO USAR O MAPA DO DIA:

1) PEGUE UM PAPEL E ANOTE TUDO QUE VOCÊ QUER FAZER HOJE
2) DÊ A CADA TAREFA UM NOME CLARO E AGRADÁVEL
3) DESMEMBRE TAREFAS MUITO GRANDES, AGRUPE TAREFAS MUITO PEQUENAS
4) CIRCULE AS TAREFAS COM CORES DIFERENTES DE ACORDO COM OS NÍVEIS DE PRIORIDADE 🔴 🔵 🟢
5) CRIE UM PERCURSO USANDO SETAS PARA LIGAR AS TAREFAS NA ORDEM EM QUE PRETENDE REALIZÁ-LAS
6) DEFINA OS HORÁRIOS EM QUE PRETENDE COMEÇAR E CONCLUIR CADA UMA
7) CONCENTRE-SE EM APENAS UMA TAREFA DE CADA VEZ
8) RISQUE A TAREFA DO MAPA DO DIA ASSIM QUE A CONCLUIR
9) FAÇA UMA PAUSA ENTRE UMA TAREFA E OUTRA, PARA RECARREGAR SEUS RECURSOS COGNITIVOS
10) TRANSFORME A CRIAÇÃO DO MAPA DO DIA NUM HÁBITO DIÁRIO!!!

DICAS EXTRAS:

+) COMECE PELAS TAREFAS MAIS DESAGRADÁVEIS, FAZENDO-AS EM PRIMEIRO LUGAR PELA MANHÃ
+) VOCÊ PODE CRIAR DOIS CAMINHOS PARALELOS; SE EMPACAR EM UM DELES, PASSE PARA O OUTRO
+) VOCÊ PODE USAR SÓ O MAPA DO DIA OU PODE USÁ-LO JUNTO COM UMA LISTA DE TAREFAS, UMA LISTA DE IDEIAS E UMA AGENDA

... POR VIA DAS DÚVIDAS, INCLUA "FAZER O MAPA DO DIA" NA SUA LISTA DE HÁBITOS

Você agora tem as três principais ferramentas necessárias para combater a procrastinação de maneira eficaz.

A **visão pessoal** vai lhe dar motivação.

A **lista de hábitos** vai ajudá-lo a domar seu elefante e a fortalecer seu músculo da força de vontade.

O **mapa do dia** vai ajudá-lo a escapar da paralisia decisória e fará você seguir em frente todos os dias.

Você vai notar um aumento significativo na sua produtividade e na sua eficácia. Mas, para tirar o máximo proveito dessas ferramentas, é preciso aprender outra ferramenta essencial: como sair da sua *zona de conforto…*

A zona de conforto das massas: o berço do mal

Certo dia, li no jornal que um dos psicólogos mais influentes do mundo, o professor Philip Zimbardo, cujos estudos e livros inspiraram fortemente nosso trabalho, visitaria minha cidade. Assim que soube disso, pensei que precisávamos nos conhecer pessoalmente. Meus colegas e eu superamos os temores iniciais e escrevemos a ele para marcar um encontro.

Ao superar nossas limitações, estávamos, sem saber, fazendo algo sobre o qual acabaríamos conversando com o professor Zimbardo durante todo o nosso encontro. As informações que ele nos passou foram tão valiosas que me estimularam a melhorar muito minha visão pessoal. Zimbardo nos ensinou a criar o hábito de se tornar um **herói de todos os dias**.

O que passa pela cabeça de pessoas ruins? Como você se comportaria se fosse um carcereiro? Por que algumas pessoas se comportam cruelmente, enquanto outras agem como heróis? Philip Zimbardo tem dedicado toda a sua vida a responder tais perguntas. Sua obra mostrou que a pessoa comum, originalmente boa, pode ser influenciada por seu entorno a fazer coisas ruins. E não importa se estamos falando de um pai de família, um líder religioso ou um cidadão (até então) correto.

Em seu famoso mas um tanto controverso **experimento da prisão de Stanford**, Zimbardo escolheu, de um grupo de voluntários, os mais normais e saudáveis. Numa prisão de porão simulada, atribuiu a metade dos participantes o papel de guardas e à outra metade o papel de prisioneiros.[67] O que aconteceu foi que, após poucos dias, os guardas começaram a tratar os prisioneiros com crueldade. Os participantes aprisionados foram humilhados, sofreram abusos psicológicos e foram submetidos a punições horríveis, mas bem planejadas. O experimento teve que ser interrompido antes do previsto.

Como psicólogo, Zimbardo também estudou os maus-tratos cometidos em **Abu Ghraib**, uma prisão real no Iraque, onde os prisioneiros eram iraquianos e os guardas, americanos. Aqui também os guardas exibiram um comportamento extremamente cruel para com os prisioneiros. Porém, por não ser um experimento controlado, a situação não chegou ao fim após poucos dias. Em Abu Ghraib, o mal ficou fora de controle por um tempo terrivelmente longo.[68]

O que faz as pessoas se tornarem más nessas situações? A pesquisa de Zimbardo demonstra quão poderosa pode ser a influência da *mentalidade de rebanho*, ou *comportamento de manada*.[69] Tem muitas coisas que só fazemos porque outras pessoas estão fazendo: para evitar a pressão social e o desconforto que sofreríamos se não seguíssemos o rebanho.

Ou seja, em geral as pessoas não *são* más, só são incapazes de se afastar do rebanho ruim ou de se rebelar contra ele. É como a citação atribuída a Albert Einstein: *"O mundo não será destruído pelos que praticam o mal, mas por aqueles que os observam sem reagir."*

O comportamento de manada explica por que permanecemos em certas situações desfavoráveis: por medo de que, se tentarmos melhorar de vida, os outros nos invejem.

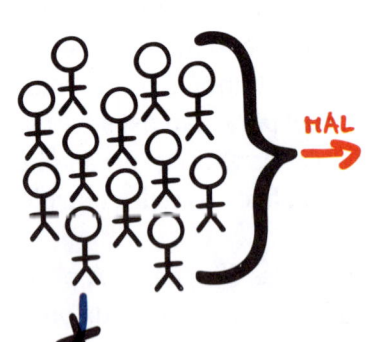

AS PESSOAS NÃO SÃO INTRINSECAMENTE MÁS.
O MAU COMPORTAMENTO É UMA CONSEQUÊNCIA SECUNDÁRIA DE NÃO TEREM CORAGEM PARA SE AFASTAR DO GRUPO RUIM.

Para muita gente, sair do grupo é tão desagradável que eles o seguem mesmo que estejam indo direto para o abismo. Às vezes, basta surgir alguém que aja com autoridade para ser seguido. E assim os indivíduos incapazes de deixar o rebanho se tornam cúmplices do mal. O filósofo Edmund Burke disse o seguinte sobre os riscos de se tornar um membro passivo de um rebanho: "*A única coisa necessária para o triunfo do mal é que os homens bons não façam nada.*"

Então como é possível que às vezes apareça alguém que consegue deixar o rebanho e apontar seus erros? Como é possível que algumas pessoas parem para ajudar outras quando veem um acidente de carro, enquanto outras simplesmente seguem em frente como se nada tivesse acontecido? Afastar-se do rebanho é uma manifestação da habilidade que Zimbardo denomina **heroísmo**.

Durante o experimento da prisão de Stanford, uma heroína emergiu dentre os pesquisadores. Foi ela quem se descolou da multidão quando o experimento fugiu do controle e quem convenceu Zimbardo a interrompê-lo. Essa mulher, aliás, viria a se casar com ele.

Em Abu Ghraib, um jovem soldado se tornou herói. Apesar dos riscos, ele conseguiu romper com o rebanho e denunciar o que vinha ocorrendo na prisão.

Em nosso encontro, Zimbardo nos explicou que todos podem treinar o heroísmo e aumentá-lo gradualmente. Suas pesquisas mostraram que ninguém nasce herói; torna-se com o tempo.[70]

FERRAMENTA: heroísmo

Embora a palavra "heroísmo" seja normalmente reservada para atos extraordinários, é apropriado usá-la para descrever uma habilidade que você pode usar todos os dias. A coragem de saltar nos trilhos do metrô para salvar a vida de alguém e a capacidade de vencer a procrastinação têm a mesma base, são apenas níveis diferentes da habilidade de **sair da zona de conforto intencionalmente**.[71]

Todos nós temos nossas zonas de conforto, que podem ser **físicas** (como uma cama quentinha de manhã) ou **sociais** (como ser parte de um grupo e fazer tudo que os outros fazem).

A maioria das coisas importantes que precisamos fazer para realizar nossa visão pessoal está localizada fora da nossa zona de conforto. Está nas zonas de desconforto. Como teria dito Albert Einstein: "*Aquele que segue a multidão geralmente não irá além. Aqueles que caminham sozinhos provavelmente chegarão a lugares onde ninguém esteve antes.*"

Se você quer acordar cedo, precisa desligar o despertador e se levantar da cama. Se quer ajudar alguém que sofreu um acidente, precisa parar o carro, saltar e começar a agir. Se quer conhecer alguém, a primeira coisa que precisa fazer é iniciar uma conversa. Se quer ter um negócio próprio, precisa marcar reuniões de negócios. Se quer levar uma vida plena e realizada, precisa aprender a superar a procrastinação.

Graças à adaptação hedônica, a gente se acostuma com qualquer zona de conforto. Pode ser a cama mais confortável do mundo: depois de aproveitá-la por uns dias de preguiça, você já não vai mais achar tanta graça. Portanto, sair da sua zona de conforto é um passo fundamental para alcançar a felicidade. Se você aprender a superar a si mesmo, o centro de recompensa do seu cérebro será ativado com mais frequência, liberando mais dopamina.[72]

HEROÍSMO:

ZONA DE CONFORTO

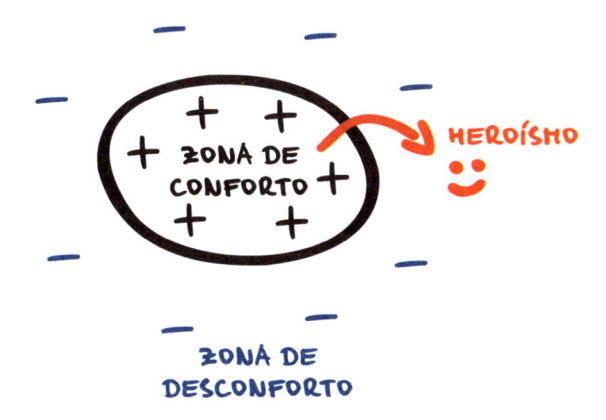

HEROÍSMO

ZONA DE DESCONFORTO

O **HEROÍSMO** É UMA EXPRESSÃO DA SUA CAPACIDADE DE SAIR DA SUA ZONA DE CONFORTO. QUANDO VOCÊ CONSEGUE FAZER ISSO, É RECOMPENSADO COM A LIBERAÇÃO DE DOPAMINA.

Aprender a ser um herói é mais uma peça fundamental no aumento da **disciplina**. O heroísmo é o que chamamos de *micro-hábito*. Um hábito comum é algo que se faz uma vez por dia, enquanto um micro-hábito é algo que devemos ter sempre em mente. Quanto mais capaz de heroísmo você se tornar, menos vai procrastinar e, assim, melhor vai realizar sua visão pessoal.

Como treinar para ser mais heroico?

Em nosso encontro, Zimbardo pegou uma das minhas canetas hidrográficas e desenhou um grande ponto preto na testa. Sua intenção era demonstrar um método fácil de treinar o heroísmo. Se você passar o dia inteiro com um ponto preto na testa – ao caminhar, ao pegar o ônibus, ao fazer compras, ao conversar com as pessoas –, aos poucos vai deixar de se incomodar com as pessoas te olhando estranho. Vai se acostumar a ser diferente. A pressão social desagradável aos poucos vai diminuir, você vai se acostumar a sair da sua zona de conforto social e vai aprender a se destacar do rebanho. Zimbardo nos explicou que heróis são sempre meio que **dissidentes**.

O herói de Zimbardo não é tão influenciado pelos que o cercam. Ele consegue se destacar da multidão e ser o primeiro a agir. E consegue fazer isso porque, com treino, se habituou a essa sensação. Essas pessoas têm mais probabilidade de parar para prestar socorro ao verem um acidente, enquanto todos os outros, que seguem com o rebanho, seguem em frente.

O heroísmo real ocorre quando não tem ninguém em volta. Quase toda procrastinação ocorre atrás de portas fechadas. A fim de derrotá-la, você precisa aprender a ser um herói diante de si próprio. Não é à toa que dizem: *"Nosso caráter é o que fazemos quando ninguém está olhando."*

Como o heroísmo é um micro-hábito, convém tê-lo em mente o tempo todo. Talvez seja válido, inclusive, transformar a prática de sair da zona de conforto em uma espécie de paixão.

Mas como fazer isso? Sempre que tiver a chance, tente sair da sua zona de conforto. Dê ordens a si mesmo e cumpra-as. Digamos, puxe papo com o estranho sentado ao seu lado no ônibus. Ainda que não tenha vontade de fazer nada específico, proponha-se a fazer o que for mais desagradável para você naquela situação.

Sempre que tiver a oportunidade de ser um herói, aproveite-a, seguindo a **regra dos três segundos** do samurai.[73] Aja no espaço de tempo de cinco batimentos cardíacos. Se você começar a pensar demais, seu cérebro vai começar a racionalizar, criando justificativas para você permanecer na sua zona de conforto.

Você pode treinar ser um herói do dia a dia usando o já mencionado recurso de começar suas obrigações pela mais desestimulante, para se sentir encorajado a agir heroicamente pelo resto do dia. Por exemplo, eu pratico o heroísmo matinal fazendo atividade física logo ao me levantar, seguida de um incômodo banho frio.

À medida que você treinar o heroísmo, vai aumentar o número de ações importantes realizadas. Ser um herói é uma das precondições mais importantes para viver com plenitude. Philip Zimbardo sintetizou isso da seguinte maneira: *"O núcleo da sua vida pode ser reduzido a dois tipos de ação: as feitas e as não feitas."*

O **heroísmo** é a quarta das principais ferramentas deste livro. Junto com a **visão pessoal**, a **lista de hábitos** e o **mapa do dia**, ele cria um grupo interligado de métodos para combater a procrastinação.

Vou dar um exemplo de como essas ferramentas podem funcionar em conjunto. Sua visão informa quais tipos de ação diária devem entrar na sua lista de hábitos e quais tipos de tarefa devem entrar no seu mapa do dia. Sua lista de hábitos pode incluir itens como "reler minha visão pessoal" ou "criar mapa do dia". A última tarefa do mapa do dia pode ser preencher sua lista de hábitos. Para completar, o heroísmo aumenta as chances de você fazer pleno uso desses outros métodos.

1. VISÃO PESSOAL
- O VALOR DO TEMPO
- MOTIVAÇÃO INTRÍNSECA BASEADA NA JORNADA

2. LISTA DE HÁBITOS
- TREINAR O ELEFANTE
- FORMAR HÁBITOS

3. MAPA DO DIA
- PARALISIA DECISÓRIA
- GESTÃO DO TEMPO

4. HEROÍSMO
- ZONA DE CONFORTO

Recapitulando o capítulo: Disciplina

A principal causa da procrastinação é a incapacidade de exercer a **autorregulação**, isto é, dar ordens a si mesmo e de fato cumpri-las.

Esse problema se deve ao fato de que muitas vezes o neocórtex racional (**seu domador**) dá ordens, mas o sistema límbico emocional, que é mais antigo e mais forte (**seu elefante**), não lhe dá ouvidos.

A autorregulação depende dos seus **recursos cognitivos**, isto é, o músculo imaginário da força de vontade, que expressa o nível de energia de seu domador no momento. No decorrer do dia você pode repor esses recursos, bem como pode aumentar a capacidade de armazenamento deles no longo prazo.

Para **repor** seus recursos cognitivos, é preciso fazer pausas regulares programadas ao longo do dia: faça uma caminhada de cinco minutos, coma uma fruta ou beba um suco. Já se quiser **fortalecer** esses recursos, é preciso gradualmente formar novos hábitos.

A ferramenta **lista de hábitos** vai permitir que você se esforce todos os dias para adquirir bons hábitos e, ao mesmo tempo, parar com os maus hábitos. É importante incorporar a filosofia *kaizen*: pequenos passos levam a grandes mudanças.

A **paralisia decisória** é (depois da falta de autorregulação) o segundo maior fator de esgotamento dos recursos cognitivos. Quanto menos decisões você precisar tomar durante o dia, mais energia terá para agir.

O **mapa do dia** vai ajudar você a planejar cada dia, definindo prioridades, horários e a ordem de realização das tarefas. Será uma grande ajuda contra a paralisia decisória no decorrer do dia.

Você pode ampliar o mapa do dia com outros componentes úteis, como a **lista de tarefas**, a **lista de ideias** e uma **agenda** clássica. Juntos, eles formam um sistema integrado de gestão de tarefas e do tempo.

Ao treinar o micro-hábito do **heroísmo**, você aprende a sair das suas **zonas de conforto** social e física. Sair da sua zona de conforto vai aumentar suas chances de viver o mais plenamente possível.

Em termos gerais, a **disciplina** é uma habilidade que ajuda a caminhar rumo à realização da sua visão pessoal. Ou seja: a disciplina é o oposto da procrastinação.

Faça uma nova autoavaliação da sua **disciplina** e do uso que você faz das ferramentas a ela relacionadas. Recomendo que faça reavaliações regulares. Você vai constatar que quanto maior a nota dada ao uso da **lista de hábitos**, do **mapa do dia** e do **heroísmo**, maior será sua disciplina.

1 A 10

- [ ] DISCIPLINA
- [ ] FERRAMENTA: LISTA DE HÁBITOS
- [ ] FERRAMENTA: MAPA DO DIA
- [ ] FERRAMENTA: HEROÍSMO

RESULTADOS

COMO ENCONTRAR A FELICIDADE – E CONSERVÁ-LA

Certa vez, encontrei num café um conhecido de longa data. Ele me contou que acabara de se recuperar de uma cirurgia de remoção do apêndice e que chegara ao fundo do poço emocionalmente. Ele desabafou: "Nada faz sentido. Vou abandonar minha profissão e arranjar um emprego administrativo em algum lugar." No final da conversa, concordamos em nos encontrar de novo antes que ele tomasse qualquer decisão, para repensarmos tudo com mais calma. Eu tinha minhas suspeitas: tudo me levava a crer que meu colega havia contraído um hamster bem ruim.

Todo mundo já deve ter se perguntado, em algum momento da vida, qual seria a receita para a felicidade. Estudos sobre a adaptação hedônica mostraram que a peça-chave para ser feliz não pode ser encontrada em nenhum bem material, e sim na jornada – no processo de realizar sua visão pessoal.[74] Se você dedicar todos os seus dias a atividades significativas em que se sai bem, vai atingir o estado de fluxo, e o fluxo vai ajudá-lo a alcançar os **resultados** desejados (emocionais e materiais) com mais frequência.

Tais atividades estimulam o centro de recompensa do cérebro, que então libera dopamina – agora estamos falando de **resultados emocionais**. Além disso, ao atingir seus marcos e ver os resultados reais do seu trabalho, você vai alcançar **resultados materiais**.

VISÃO + AÇÕES = RESULTADOS

No entanto, mesmo quando estamos progredindo rumo à realização da nossa visão pessoal, às vezes as coisas dão errado e ficamos insatisfeitos. Isso é mais comum de acontecer por conta de condições externas desfavoráveis, fracassos e quando revivemos experiências desagradáveis do passado. Outras vezes, a tristeza acontece por causa de meras alterações químicas no cérebro, sem nenhuma causa externa aparente.[75] Você pode perder o rumo se passar muito tempo sem fazer atividades que levem ao fluxo.

MESMO QUE VOCÊ REALIZE ATIVIDADES SIGNIFICATIVAS, QUE O DEIXAM FELIZ, ÀS VEZES VAI PERDER O RUMO E SE SENTIR TRISTE.

Comecei a suspeitar que o motivo da infelicidade desse meu conhecido era a falta do fluxo. Ele passara um bom tempo de molho em casa, sozinho. Tinha parado de dar consultoria e treinamento, o que o privara de companhia. Sendo um tipo bem sociável, isso o esgotou emocionalmente. Felizmente, alguns dias após nossa conversa, um sorriso havia retornado ao seu rosto. Como isso aconteceu?

Neste capítulo você vai conhecer o conceito de *chave interna*, capaz de transformar sentimentos negativos em positivos e até de ajudá-lo a superar estados depressivos e voltar a ser feliz. Outra de nossas ferramentas, a *lista da gratidão*, vai ajudá-lo a conservar a felicidade. O último tema que abordaremos será o *botão restart*, que o ajudará a reinicializar todo o seu sistema de desenvolvimento pessoal caso alguma coisa o tire do rumo.

Usando as ferramentas contidas neste capítulo, você vai desenvolver mais **equilíbrio emocional** e será capaz de realizar seu potencial com mais eficácia. Afinal, pessoas felizes procrastinam menos.

De onde vêm as emoções negativas?

Uma das partes mais antigas do cérebro humano, a *amígdala* é responsável por sondar o perigo em tudo que percebemos à nossa volta.[76] Quando, centenas de milhares de anos atrás, nossos ancestrais ouviam a relva farfalhar na savana, era a amígdala que avaliava os riscos daquele ruído. O alarme era disparado sob a forma de uma forte emoção negativa, que fazia os seres humanos fugirem. A amígdala age como um detector de perigo prematuro, e uma de suas principais funções é aumentar nossas chances de sobrevivência.[77]

Não seria nenhum problema para a sobrevivência do nosso ancestral pré-histórico se a amígdala cometesse um erro e disparasse um alarme falso, mas seria um problemão se ela não avisasse em caso de perigo real. Para sua sobrevivência, sair correndo por engano era preferível a não fugir e acabar sendo atacado por um predador.

Para que nosso cérebro não ignorasse os perigos potenciais, a amígdala desenvolveu, ao longo da evolução humana, uma tendência maior a enfatizar os possíveis riscos.[78] Atualmente, essa característica do nosso cérebro é manipulada pela mídia. Não é à toa que a maioria das notícias que a gente vê nos jornais e na televisão é transmitida com um viés negativo. Graças à reação mais forte da amígdala aos riscos potenciais, notícias negativas chamam bem mais atenção.

Esse bombardeio constante da nossa amígdala nos deixa afogados em uma torrente de informações negativas. Nosso cérebro está sendo gradualmente treinado para prestar mais atenção nas notícias negativas e ignorar as notícias positivas. Estamos sendo contaminados por esse "pessimismo aprendido", cada vez mais infelizes.

A AMÍGDALA REAGE FORTEMENTE A ESTÍMULOS NEGATIVOS. SE SOMOS EXPOSTOS A MUITOS ESTÍMULOS NEGATIVOS, COMEÇAMOS A IGNORAR OS POSITIVOS, O QUE, POUCO A POUCO, NOS DEIXA CADA VEZ MENOS FELIZES.

Pessoas negativas costumam, sem querer, espalhar suas emoções entre aqueles à sua volta. Dê só uma olhada num bar em uma noite de sexta-feira: você verá pessoas reclamando em uníssono que todos os políticos mentem, nada funciona e tudo é terrível.*

Emoções negativas são socialmente mais contagiosas do que as positivas por causa da amígdala. Elas se espalham fácil. Vão sendo transmitidas para cada vez mais pessoas e acabam encontrando o caminho

---

*   *Nota do autor:* Às vezes desconfio que a visão pessoal de algumas pessoas é reclamar. Como elas dominaram a negatividade à perfeição, talvez alcancem o fluxo no processo de fazer críticas e lamentações. Mas reclamar, por si só, não muda nada; na verdade, em geral só piora a situação.

de volta até a fonte original. Assim se forma um **círculo vicioso** que só fortalece as emoções negativas.

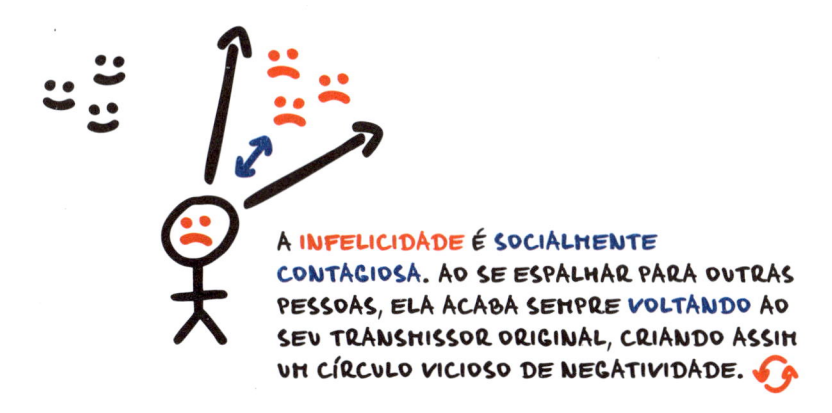

A INFELICIDADE É SOCIALMENTE CONTAGIOSA. AO SE ESPALHAR PARA OUTRAS PESSOAS, ELA ACABA SEMPRE VOLTANDO AO SEU TRANSMISSOR ORIGINAL, CRIANDO ASSIM UM CÍRCULO VICIOSO DE NEGATIVIDADE.

Apesar de provavelmente estarmos vivendo na era de maior abundância da história da humanidade,* as emoções negativas podem ser tão contagiantes que algumas pessoas se afogam num mar de preocupações e começam a acreditar que está tudo errado. O pessimismo coletivo as

---

* *Nota do autor:* As mais de 100 bilhões de pessoas[79] que passaram pela Terra antes de nós não tinham água potável encanada, assistência médica acessível, educação nem a tecnologia de que dispomos hoje. Embora nosso mundo esteja longe de ser perfeito, em vários aspectos estamos bem melhor, em comparação com outros períodos da história.

torna vulneráveis a serem vítimas da *impotência aprendida*, que está na origem de muitos casos de depressão.[80]

Como resistir ao contágio das emoções negativas? Como evitar o ciclo da impotência aprendida? Como aproveitar melhor as vantagens do mundo atual? O que fazer para alcançar a felicidade – e mantê-la?

Primeiro você vai descobrir como acontece o ciclo da impotência aprendida e, depois, aprenderá a sair dele. Em essência, você precisa redirecionar seu foco conscientemente, concentrando-se mais nos estímulos positivos do que nos negativos.

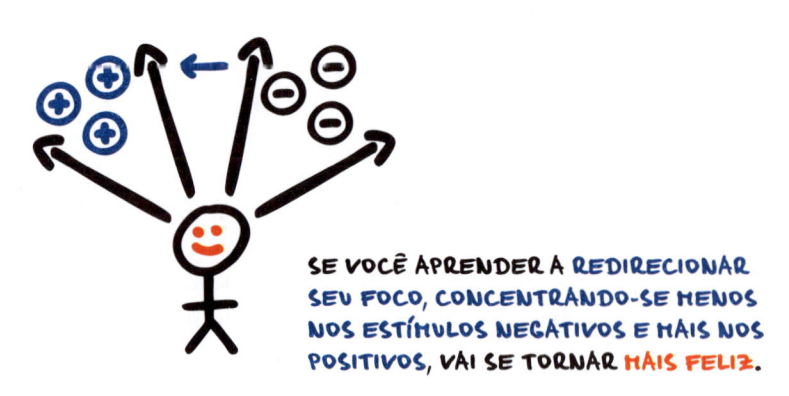

SE VOCÊ APRENDER A REDIRECIONAR SEU FOCO, CONCENTRANDO-SE MENOS NOS ESTÍMULOS NEGATIVOS E MAIS NOS POSITIVOS, VAI SE TORNAR MAIS FELIZ.

O ciclo da impotência aprendida

As pesquisas de Martin Seligman demonstram que alguns poucos estímulos negativos podem nos convencer de que tudo está ruim e que não há nada que se possa fazer para melhorar isso.[81] Quando uma pessoa se convence disso, pode acabar tomada pela sensação de impotência, o que talvez a leve a cair em depressão e até a renunciar à vida.

Em um experimento, um roedor foi colocado numa caixa (vamos imaginar que tenha sido um hamster) e depois a fecharam com uma tampa transparente.[82] No primeiro dia, o hamster pulou várias vezes, tentando sair, mas sempre batia com a cabeça na tampa. No segundo dia, ele fez menos tentativas de escapar.

NO PRIMEIRO DIA, O HAMSTER PULOU À BEÇA, MAS BATIA COM A CABEÇA NA TAMPA TRANSPARENTE. NO DIA SEGUINTE, ELE PULOU UM POUCO MENOS.

Após alguns dias, o hamster desistiu por completo. Mesmo depois que os pesquisadores tiraram a tampa, nunca mais pulou para tentar sair. Após as tentativas frustradas, convenceu-se de que não tinha nenhuma chance de fuga. Mesmo após as condições mudarem, o hamster continuou convencido de que sua situação não tinha jeito. O estado em que ele se encontrava é conhecido como **impotência aprendida**, e é algo que também pode acontecer conosco.

A infelicidade e a sensação de "Eu não consigo" são típicas do estado de impotência. Para melhor ilustrar essa ideia, vamos nos referir a esse estado como "ter um **hamster**". Assim, quando dissermos que alguém "**tem um hamster**" ou que "**contraiu um hamster**", você saberá a que situação estamos nos referindo. Se você quer levar uma vida mais feliz, precisa aprender a detectar os hamsters e a se livrar deles.

Outro exemplo da impotência aprendida pode ser observado em fazendas de elefantes (desta vez estou falando de elefantes reais). Esses animais enormes geralmente ficam amarrados no local com uma corda bem fina. Se tentasse, um deles poderia facilmente rompê-la e se libertar.

Mas imagine que esse elefante está amarrado desde que era filhote. Ele tentou se libertar quando era pequeno, mas não conseguiu romper a corda. Depois de algumas tentativas frustradas, acabou se convencendo de que a fuga era impossível. O elefante então começou a se acreditar incapaz e desistiu de tentar. Mesmo tendo crescido em tamanho e força, continuou acreditando que a corda não pode ser rompida. Usando nossa terminologia, podemos dizer que "o elefante pegou um hamster".

APÓS ALGUNS DIAS, A TAMPA FOI REMOVIDA, MAS MESMO ASSIM O HAMSTER NUNCA MAIS TENTOU ESCAPAR. ELE CAIU NO ESTADO DE IMPOTÊNCIA APRENDIDA.

QUANDO PEQUENO, O ELEFANTE SE CONVENCEU DE QUE JAMAIS CONSEGUIRIA ROMPER A CORDA. DEPOIS QUE CRESCEU, ELE NÃO VOLTOU A TENTAR.

Algumas das causas da procrastinação podem ser atribuídas ao hamster. Passar muito tempo sem fazer nada faz você se sentir culpado. Por se sentir culpado, você duvida de si mesmo. Por duvidar de si mesmo, sua autoconfiança cai e leva a uma sensação de impotência. Por fim, como se sente impotente, você acaba não fazendo nada. E o ciclo se repete. Você contraiu um "hamster da procrastinação".

Ficar deprimido e incapaz de se livrar de um hamster por muito tempo não ajuda em nada; é aquele tipo de situação em que ninguém escolheria estar por vontade própria. Assim, de tempos em tempos, pare e se pergunte se a tampa imaginária da sua caixa por acaso não foi aberta e se não está na hora de tentar saltar para a liberdade de novo.

Como saber se você tem um hamster?

Você se sente apático, sem vontade de fazer nada. Seus recursos cognitivos estão esgotados e lhe falta energia. Você não acredita em si mesmo e vê tudo sob uma luz negativa. Duvida até de coisas boas em que

O CICLO DO HAMSTER DA PROCRASTINAÇÃO:

- NÃO FAÇO NADA
- ME SINTO CULPADO
- DUVIDO DE MIM MESMO
- ME SINTO IMPOTENTE

acreditava até pouco tempo atrás. Você não vê saída para sua situação. Você procrastina muito. Às vezes até tem vontade de ceder ao hamster e mergulhar na autopiedade.

Se você está tendo esse mix de sensações desagradáveis, é hora de dar um nome ao seu problema e admiti-lo: "Sim, eu tenho um hamster." Dar um nome aos seus problemas é o primeiro passo para resolvê-los.

Como combater seu hamster? Como um veterano

Se você quer saber como se livrar de um hamster, pode encontrar inspiração num grupo de veteranos de guerra americanos. A taxa de depressão e até a de suicídio entre aqueles homens era altíssima, mas um grupo de terapeutas da Associação de Psicologia do Havaí conseguiu encontrar uma maneira de ajudá-los.[83] E esse mesmo método pode ajudar você a se livrar do seu hamster.

Estudos de Philip Zimbardo mostraram que o cérebro humano pode funcionar sob diferentes *perspectivas temporais*.[84] Essas perspectivas determinam quanto tempo passamos pensando no futuro, no presente e nos aspectos negativos e positivos do nosso passado. As pessoas podem ser divididas em *orientadas para o futuro*, *orientadas para o presente*, *orientadas para o passado negativo* e *orientadas para o passado positivo*.

Que tipo de perspectiva temporal tinham esses veteranos? Devido às suas experiências na guerra, eles estavam fortemente voltados para o passado negativo. A maioria acreditava estar no fim da vida e, portanto, quase não tinha orientação para o futuro.

⊕ PASSADO ⊖　　　PRESENTE　　FUTURO

NOSSO CÉREBRO PODE OPERAR SOB QUATRO PERSPECTIVAS TEMPORAIS: ORIENTADO PARA O PASSADO POSITIVO, ORIENTADO PARA O PASSADO NEGATIVO, ORIENTADO PARA O PRESENTE E ORIENTADO PARA O FUTURO.

Pessoas com o estado de espírito em que se encontravam esses veteranos contraem facilmente um hamster. Como seu foco nos acontecimentos positivos do passado está bem reduzido, não acreditam em si mesmas, e, como estão pouco orientadas para o futuro, falta-lhes motivação intrínseca. O cérebro dessas pessoas desperdiça energia duvidando da própria capacidade e relembrando experiências negativas. Os sentimentos desagradáveis que isso provoca geram novas lembranças ruins, que servem apenas para fortalecer sua orientação para o passado negativo. É uma longa espiral descendente de hamster.

E como os pesquisadores conseguiram contribuir para que os veteranos superassem a depressão?

O primeiro passo foi ajudá-los a **aumentar sua orientação para o futuro**. Os pesquisadores lhes lembravam o valor do tempo e perguntavam a que gostariam de dedicar o deles. Isso ajudou a acender a chama da visão pessoal: a luz no fim do túnel da impotência. Vários veteranos decidiram escrever suas memórias, enquanto outros encontraram sentido em dar palestras para jovens.

Mas aumentar a motivação intrínseca e se tornar mais orientado para o futuro não é suficiente. Se esses veteranos recém-motivados fracassassem, estariam apenas acrescentando uma nova experiência negativa a seu repertório e, essencialmente, alimentando seus hamsters. Portanto, era necessário ajudá-los a **enfrentar seu passado negativo** e ensinar-lhes a **mudar sua orientação para o passado positivo**.

Então qual foi o passo seguinte? Os pesquisadores orientaram os veteranos a perceber que, embora tivessem passado por coisas terríveis, tudo aquilo lhes permitira dar testemunho da guerra, o que poderia ajudar a reduzir os riscos de ocorrerem novas guerras no futuro. Os pesquisadores os ajudaram a ver suas piores experiências de uma perspectiva mais positiva.

PESSOAS COM BAIXA ORIENTAÇÃO PARA O FUTURO E PARA O PASSADO POSITIVO, MAS COM FORTE ORIENTAÇÃO PARA O PRESENTE E PARA O PASSADO NEGATIVO SÃO AS QUE MAIS CONTRAEM HAMSTERS.

Se você consegue aumentar sua orientação para o futuro e, ao mesmo tempo, passa a ver o negativo como positivo, o resultado é algo já discutido no capítulo sobre motivação: cria-se um ciclo que é o oposto de um hamster. Acontece o **estado de fluxo**.

Como se tornar mais orientado para o futuro? O segredo está em agir com **motivação intrínseca** e se lembrar da sua **visão pessoal**. Se você pensa mais no futuro, vai treinar seu cérebro a imaginá-lo com mais nitidez.

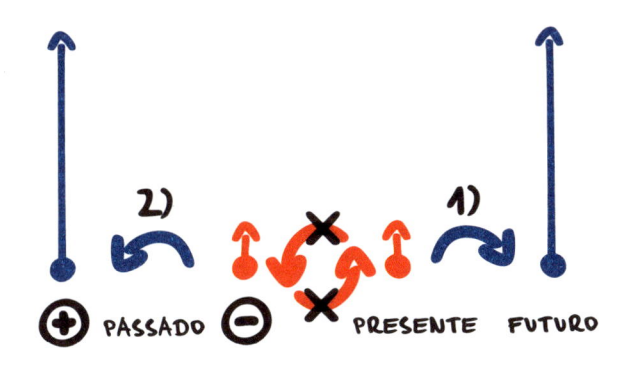

COMO SAIR DO CICLO DO HAMSTER:
1) TORNE-SE MAIS ORIENTADO PARA O FUTURO.
2) TRANSFORME A ORIENTAÇÃO PARA O PASSADO NEGATIVO EM UMA ORIENTAÇÃO PARA O PASSADO POSITIVO.

FLUXO

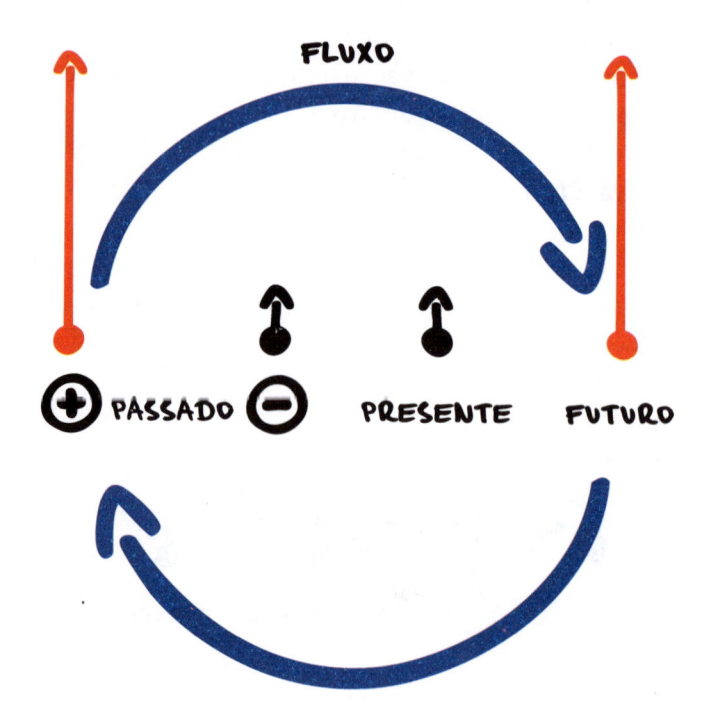

⊕ PASSADO ⊖   PRESENTE   FUTURO

ENTRE A ORIENTAÇÃO PARA O FUTURO E A ORIENTAÇÃO PARA O PASSADO POSITIVO SURGE O CICLO DO FLUXO.

O CICLO POSITIVO DO FLUXO:

- FAÇO COISAS SIGNIFICATIVAS
- ME SINTO BEM
- DESENVOLVO MINHAS HABILIDADES
- ACREDITO EM MIM MESMO

Como mudar sua forma de ver o passado? Como lidar melhor com o fracasso? Como aprender a enxergar acontecimentos negativos de maneira mais positiva? Chamamos de **chave interna** nosso método para transformar coisas negativas em positivas.

FERRAMENTA: chave interna

Antes de se tornar um dos psicólogos mais conhecidos da segunda metade do século XX, Viktor Frankl teve uma vida extremamente difícil. Por ter ascendência judaica, foi levado para o campo de concentração de Auschwitz. Ele foi um dos poucos a sobreviver aos horrores daquele lugar. O que Frankl vivenciou viria a ter, mais tarde, forte impacto em sua carreira na psicoterapia.

Em seus escritos, Frankl descreve como, mesmo em campos de concentração, havia pessoas que conseguiam não perder a esperança e manter o equilíbrio emocional.[85] Baseado nessas experiências, ele se tornou, tempos depois, um pioneiro da ideia de que as pessoas têm **a liberdade de reação aos estímulos**. Segundo ele, entre um estímulo e a reação a ele, existe um espaço em que podemos escolher conscientemente como esse estímulo vai nos afetar. Tal conceito se tornou a base da habilidade da chave interna.

A LIBERDADE DE ESCOLHER UMA REAÇÃO:

ESTÍMULO → ⟿ REAÇÃO

LIBERDADE

Sua **chave interna** vai ajudar você a transformar conscientemente estímulos negativos em neutros ou até em positivos. Se você aprender a jogar esse jogo interno, os estímulos negativos não despertarão mais reações emocionais negativas automaticamente. Mesmo que não seja capaz de influenciar muitos acontecimentos, ao acionar sua chave interna você pode escolher como eles afetam sua vida.

REAÇÃO-PADRÃO:

ESTÍMULO ⊖ ⤳ REAÇÃO ☹

AUTOMÁTICO

CHAVE INTERNA:

ESTÍMULO ⊖ ⤳ REAÇÃO ☹/☺

CHAVE INTERNA

AO ACIONAR SUA CHAVE INTERNA, VOCÊ APRENDE A REAGIR A ESTÍMULOS NEGATIVOS DE MANEIRA NEUTRA OU ATÉ POSITIVA.

À semelhança do heroísmo, a chave interna também é um **micro-hábito**: ela deve estar sempre na sua mente e, com treino, pode ser melhorada.

Esse método se sustenta sobre três pilares: **mudar como você vê seus fracassos**, depois **superar os golpes do destino** e, por fim, **transformar o passado negativo em positivo**.

Gerenciando o fracasso

Thomas J. Watson, ex-CEO da IBM, afirmou: *"Se você quer ter sucesso, dobre sua taxa de fracassos."* O mais comum, porém, é vermos os fracassos como algo ruim. Afinal, quando não alcançamos algo desejado, nossa autoconfiança se reduz e temos a sensação de impotência. Corremos o risco de contrair um hamster.

Imagine uma pessoa que está tentando parar de fumar. Depois de 10 dias vitoriosa, ela acende um cigarro. Em vez de se sentir satisfeita pelos 10 dias sem fumar e pensar que da próxima vez vai se sair ainda melhor, ela sofre uma avalanche de pensamentos negativos e dúvidas. Começa a pensar que não tem capacidade, que nunca vai conseguir deixar de fumar. Eis que nasce um hamster.

Agora imagine um jovem que vê a garota dos seus sonhos num ônibus. Ele passa todo o percurso olhando para ela, até que, ao saltar, reúne coragem e diz: "Oi, pode me dar seu número de telefone?" Com um ar de desagrado, ela responde: "Não." Se esse jovem só enxergar o aspecto negativo dessa experiência, vai começar a duvidar de si mesmo, o que aumentará suas chances de ser rejeitado mais vezes no futuro.

Imagine se, um mês depois, esse mesmo jovem se encontra em uma situação semelhante. Em outro ônibus, ele vê outra moça que o atrai. Ele faz uma nova tentativa, agora ainda mais nervoso. E volta a ser rejeitado. Esses poucos fracassos o convencem de que ele jamais vai conseguir o telefone de nenhuma garota. Talvez passe um bom tempo sem tentar nada com ninguém. Pode acabar contraindo um hamster do romance.

Por que as pessoas veem o fracasso como algo ruim? Como evitar as sensações negativas quando não conseguimos o que queremos? Como evitar os hamsters do fracasso?

Crescemos numa sociedade que nos faz ver erros e fracassos como ruins. Se um estudante tira notas baixas, provavelmente vai sofrer pressão social e deboche da turma. É crucial que transformemos nosso olhar para termos uma visão oposta do fracasso. É possível ver o fracasso como um ingrediente necessário na receita para o sucesso futuro. Mas será que essas não são meras frases vazias? Para que serve o fracasso, afinal?

Em primeiro lugar, sempre que não conseguimos fazer ou obter alguma coisa, entramos na *zona de aprendizado*.[86] Nesse estado, o cérebro humano é capaz de assimilar lições novas, coisas que de outra forma não aprenderíamos. Graças a isso, temos mais chances de nos sairmos bem numa próxima situação semelhante.

Em segundo lugar, apesar do fracasso, a mera tentativa já é algo positivo. Significa que deixamos nossa zona de conforto e realizamos um pequeno ato de heroísmo. Como diria meu avô, "*Cair de cara no chão já é um passo à frente*".

Por isso é que vale a pena aceitar que o fracasso faz e sempre fará parte de toda jornada rumo à realização de uma visão pessoal. Você precisa aprender a superar os reveses, evitar os sentimentos negativos e, de preferência, contar com algum fracasso de tempos em tempos. A zona de aprendizado faz você desenvolver novas habilidades. É importante sempre dar o melhor de si e não pensar tanto nos resultados.

FRACASSO   **REAÇÃO**
⊖ ⟿ :(/ :)

CHAVE INTERNA

PARA LIDAR BEM COM O FRACASSO, É BOM PERCEBER QUE:
1) VOCÊ PODE ACIONAR SUA CHAVE INTERNA. VOCÊ TEM A LIBERDADE DE ESCOLHER COMO VAI REAGIR
2) O FRACASSO COLOCA VOCÊ NA ZONA DE APRENDIZADO
3) VOCÊ TENTOU AVANÇAR – ATO DE HEROÍSMO
4) O QUE IMPORTA É O FATO DE TER DADO O MÁXIMO DE SI, NÃO OS RESULTADOS

Nosso fumante deveria se sentir bem por ter passado longos 10 dias sem tocar em cigarro e saber que da próxima vai conseguir no mínimo 11 dias. O jovem do ônibus deveria se orgulhar por ter falado com as moças e perceber que essas experiências vão ajudá-lo da próxima vez que abordar uma garota.

O fracasso permite acionar a **chave interna**. Lembre-se: se o fracasso vai lhe trazer sentimentos positivos ou negativos, só depende de você. Você tem a liberdade de escolher sua reação. Quando algo der errado, talvez seja uma boa ideia dizer a si mesmo: "Agora, tenho liberdade. Posso acionar minha chave interna. Posso escolher como isso vai me afetar." Quanto mais você se lembrar da sua chave interna, melhor vai lidar com os fracassos.

Superando os golpes do destino

Existe certa probabilidade de que, em algum momento da sua vida, o destino jogue um tijolo inesperado na sua cabeça. Se isso acontecer, você precisa acionar sua chave interna de um modo diferente, baseado na ideia de que *"Sucesso não significa nunca cair; significa saber se levantar rápido"*.

Experiências muito desagradáveis podem causar depressão e a chamada **síndrome de estresse pós-traumático** (ou, em nossa terminologia, "um ultra-hamster"). Para algumas pessoas, porém, a tragédia pessoal pode se converter em um impulso que as fará ir ainda mais longe. Trata-se do **crescimento pós-traumático**.[87] Se você vai sucumbir ao estresse pós-traumático ou aproveitar o crescimento pós-traumático, isso dependerá, mais uma vez, apenas de você – de saber usar sua chave interna com um nível maior de habilidade. Em outras palavras, se você vai sofrer ou crescer com o estresse, é uma questão de jogar seu jogo interior num nível de dificuldade maior.

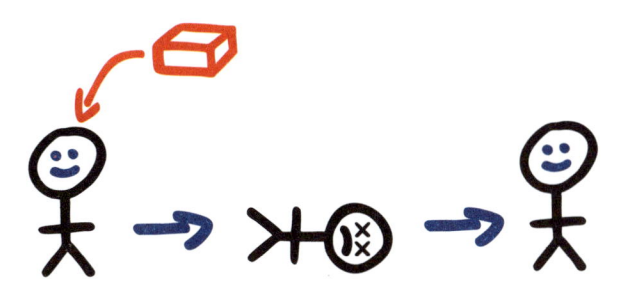

QUANDO O DESTINO JOGA UM TIJOLO NA SUA CABEÇA, VOCÊ PRECISA APRENDER A ACIONAR SUA CHAVE INTERNA E SE REERGUER O MAIS RÁPIDO POSSÍVEL.

Quando um golpe do destino larga um hamster bem no seu colo, livre-se dele o mais rápido possível. Quanto mais depressa você se levantar e sacudir a poeira, mais cedo vai voltar a levar uma vida com o máximo de plenitude.

A história do professor universitário americano Randy Pausch foi muito inspiradora para mim. Ele foi informado de que estava com um câncer terminal e que tinha apenas seis meses de vida. Em vez de se deprimir, Randy resolveu viver ao máximo aquele meio ano que lhe restava. Ele deu uma palestra que intitulou "A última palestra", sintetizando sua vida (milhões de pessoas a viram na internet desde então), escreveu um livro e passou o resto do tempo com a família.[88]

A história de Randy Pausch me faz lembrar que a maioria dos percalços que enfrentamos não são problemas reais. A postura dele me mostrou que, mesmo quando o destino lança um tijolaço na sua cabeça, isso não significa que você deva renunciar à vida.

É bem provável que em algum momento o destino lhe dê uma rasteira ou duas. Prepare-se para isso praticando usar sua chave interna para superar obstáculos menos graves. Assim você aumentará as chances de estar ao menos minimamente preparado caso algo grave lhe ocorra. Como expressou Randy Pausch: *"Os muros de tijolos estão aí para deter as outras pessoas."*

Mudando do passado negativo para o positivo

É difícil avaliar eventos do passado como "bons" ou "ruins". Tudo que nos acontece na vida é importante sob alguma perspectiva. As experiências que vivemos formam nossa personalidade e fazem de nós o que somos hoje. Quando nos lembramos de algo e afirmamos que foi ruim, geralmente é apenas um reflexo da nossa postura em relação àquele acontecimento. Porém, nossa postura em relação a acontecimentos anteriores pode ser modificada por meio da **chave interna**. Fazer isso nos ajuda a descobrir aspectos positivos do passado. Lembre-se de como os veteranos enfrentaram os horrores da guerra. O próprio Viktor Frankl exprime essa questão da seguinte maneira: *"O homem está preparado e disposto a enfrentar qualquer sofrimento desde que consiga ver um sentido nele."*

Uma cliente minha saiu de casa bem jovem porque tinha uma relação ruim com a família. Sempre que pensava nisso, ela rapidamente contraía um hamster. Em um dos nossos encontros, perguntei como esse acontecimento a fizera progredir e o que ela podia extrair de positivo dele.

Aos poucos, essa minha cliente percebeu que talvez sua independência a tivesse ajudado a abrir um negócio próprio e a se interessar por relacionamentos interpessoais, assim como pelo autodesenvolvimento. Por fim, ela chegou à conclusão de que o acontecimento que antes considerava o pior de sua vida lhe fornecera uma experiência de aprendizado essencial. Tendo processado seu passado, ela conseguiu mudar sua postura em relação àquele acontecimento e romper o ciclo do hamster.

Existem dois tipos de hamster. O primeiro, dá para controlar; já quanto ao segundo, não há nada que você possa fazer a respeito.

Imagine que você está num bosque de espinheiros. Alguns dos espinhos você pode arrancar para que não o machuquem novamente, porém outros são duros demais para serem arrancados e o máximo que você pode fazer é quebrar a ponta, para que apenas arranhem em vez de machucar. Os hamsters são como os espinhos: alguns podem ser controlados, mas, quanto aos outros, só resta enfrentar a dor o mais rápido possível.

Como pacificar seus hamsters? Como quebrar a ponta dos espinhos? Pegue uma folha de papel e experimente o seguinte método adicional, que chamamos de *análise do hamster*.

Não é a melhor opção lidar com todos os seus problemas ao mesmo tempo. Vá aos poucos, encare um hamster de cada vez. Pergunte a si mesmo o que cada hamster lhe trouxe de bom e como o fez progredir. Anote.

Isso é "quebrar a ponta" de um hamster. Daqui a mais ou menos uma semana você pode voltar a essa folha de papel para só então neutralizar o próximo hamster.

Assim como ao adquirir novos hábitos, a filosofia *kaizen* também se aplica aqui: pequenos passos levam a mudanças significativas e duradouras.

ESPINHOS:

1) PROBLEMAS QUE PODEMOS CONTORNAR:

VOCÊ PODE ARRANCAR O ESPINHO

2) PROBLEMAS QUE NÃO PODEMOS CONTORNAR:

VOCÊ PODE QUEBRAR A PONTA DO ESPINHO

PROBLEMAS QUE PODEM SER CONTORNADOS DEVEM SER ENFRENTADOS QUANTO ANTES — ARRANQUE LOGO O ESPINHO.
PROBLEMAS QUE NÃO PODEM SER CONTORNADOS DEVEM SER ENFRAQUECIDOS ATÉ NÃO O AFETAREM MAIS — QUEBRE A PONTA DO ESPINHO.

ANÁLISE DO HAMSTER:

CHAVE INTERNA 〰〰➤ 😐 / 🙂

NOME DO HAMSTER	O QUE ESTE HAMSTER ME TROUXE DE BOM? COMO ELE ME FEZ PROGREDIR?

Depois que começar essa análise do hamster, você vai constatar que os hamsters do seu passado aos poucos deixarão de afetá-lo negativamente.

A seguir, vamos lhe apresentar a **lista da gratidão**, que vai ajudar você a se tornar mais orientado para o passado positivo, a evitar contrair novos hamsters e a ter mais estabilidade emocional.

FERRAMENTA: lista da gratidão

Martin Seligman contribuiu para reduzir as altas taxas de suicídio e de depressão entre militares americanos. Seu amplo estudo, realizado com meio milhão de soldados, revelou um conjunto de métodos capaz de ajudar as pessoas a alcançar a felicidade duradoura.[89] Em apenas seis meses utilizando esses métodos, a mudança foi drástica. Qual foi o segredo?

Nossa ferramenta, que chamamos de **lista da gratidão**, é inspirada nas pesquisas de Seligman. A ideia é que você anote todos os dias **três coisas positivas** que lhe aconteceram. Depois, ao lado dessas coisas, avalie qual foi seu nível de bem-estar naquele dia, numa escala de 1 a 10 (sendo 1 = pouquíssima felicidade, 10 = maior felicidade imaginável e 5 = felicidade mediana). Com essa prática simples, você vai sistematicamente se tornar mais orientado para o passado positivo, o que não apenas vai ajudá-lo a superar seus hamsters e a depressão como aumentará sua felicidade no longo prazo.

Tal como a lista de hábitos, a lista da gratidão deve ser preenchida com dedicação todos os dias. Leva só alguns minutos, mas em apenas um mês você já vai avaliar sua vida como bem mais feliz.[90]

Como exatamente se usa essa ferramenta? Toda noite, sente-se e anote os três fatos mais positivos que ocorreram naquele dia. Não há problema se você não tiver nada muito grande para registrar. Anote pequenos acontecimentos, coisas pelas quais você é grato. Tente descrever os fatos em poucas frases, para mais tarde relembrá-los com facilidade – a ideia é que eles funcionem de maneira semelhante às fotos que tiramos em viagem para recordar as experiências vividas.

Às vezes você talvez não se lembre de três experiências positivas de imediato, e tudo bem. Faz parte do processo. Continue pensando. Assim seu cérebro vai aprender a mudar o foco de negativo para positivo em relação ao passado.

As pesquisas de Daniel Kahneman mostraram que tendemos a julgar nossa vida inteira a partir do nosso estado de humor no momento.[91] Se estamos nos sentindo bem, todo o passado também nos parece positivo. Por outro lado, se estamos infelizes no presente, provavelmente veremos nossa vida inteira sob uma luz negativa.

A lista da gratidão ajuda a driblar esse fenômeno. Você pode voltar a ela sempre que quiser e terá um feedback claro: a verdade sobre sua felicidade anterior. Ela também o ajudará a recordar experiências agradáveis, contribuindo, assim, para melhorar seu humor atual.

Criamos um modelo da lista da gratidão, que você pode baixar em **www.sextante.com.br/livros/o-fim-da-procrastinacao**, na seção "Conteúdos especiais". Que tal também acrescentar o preenchimento da lista da gratidão à sua lista de hábitos?

LISTA DA GRATIDÃO:

	I	II	III	😊 1 A 10
1.				
2.				
3.				
⋮				

CADA FOLHA VALE PARA UM MÊS INTEIRO. AS LINHAS CORRESPONDEM AOS DIAS, E EM CADA COLUNA VOCÊ VAI ANOTAR UMA DAS **TRÊS COISAS POSITIVAS** QUE ACONTECERAM NO SEU DIA. NA ÚLTIMA COLUNA, VOCÊ VAI DAR UMA NOTA DE 1 A 10 AO SEU NÍVEL DE FELICIDADE DURANTE AQUELE DIA.

FERRAMENTA: botão restart

É apenas uma questão de tempo até que um **hamster** apareça na sua vida. Um dia ou outro de mau humor não faz mal – até serve como base de comparação e nos faz valorizar mais os dias felizes –, mas ficar preso a um hamster dias a fio não é nada legal. Aprenda a se livrar dele o mais rápido possível usando o método que chamamos de *botão de restart do hamster*:

- Antes de tudo, você precisa **reconhecer** a situação em que está e chamá-la pelo **nome**: "Sim, eu tenho um hamster."
- Para combater seu hamster, **recarregue seus recursos cognitivos**. Pratique algum exercício, tome um copo de suco, coma uma fruta ou dê uma caminhada de cinco minutos. Caso se sinta sem nenhuma energia, tire uma soneca sem culpa.
- Conheça seu inimigo. **Lembre-se de como o hamster funciona.** Quando um hamster assume o controle, é normal que tudo pareça vazio, que você fique cheio de dúvidas, se sentindo impotente e para baixo.
- **Entenda que a mudança precisa partir de você.** Se você vai se livrar ou não do seu hamster, depende sobretudo de você mesmo. Não ajuda em nada racionalizar ou culpar o mundo à sua volta. Como o coach John Whitmore escreveu: "*Todos nós gostamos de acreditar que o problema está nos outros. Essa crença nos dá a sensação de que nossas ações estão corretas e não podemos mudar nada*

por nós mesmos." A verdade é que, em geral, você é o responsável por sua felicidade ou infelicidade.
- Transforme o negativo em positivo. **Acione sua chave interna.**
- **Torne-se mais orientado para o futuro.** Não esqueça o valor do tempo e da sua visão pessoal. Relembre por que não é racional ficar preso a um hamster e por que você quer levar uma vida plena.
- **Torne-se mais orientado para o passado positivo.** Hamsters gostam de chafurdar na negatividade, eles têm antolhos que bloqueiam as informações positivas. Lembre-se disso. Recorra à sua lista de realizações pessoais e à sua lista da gratidão.
- **Quebre o ciclo do hamster.** Aperte o botão vermelho imaginário de restart do hamster. Feche a porta para o mau humor. Lembre-se: "*Sucesso não significa nunca cair; significa saber se levantar rápido.*"
- **Prepare seu novo mapa do dia** e planeje as próximas tarefas a cumprir. Inclua atividades que ajudem você a atingir o estado de fluxo.
- **Pratique o heroísmo**, saia da sua zona de conforto e siga em frente. Comece a realizar suas tarefas do mapa do dia e em poucos minutos seu hamster vai desaparecer.

BOTÃO RESTART:
PASSO A PASSO

1) CONSCIENTIZE-SE DE QUE VOCÊ TEM UM HAMSTER
2) DESCANSE UM POUCO E RECARREGUE SEUS RECURSOS COGNITIVOS
3) LEMBRE-SE DA TEORIA DE COMO O HAMSTER FUNCIONA
4) ENTENDA QUE QUASE SEMPRE CABE A VOCÊ SE LIVRAR DO SEU HAMSTER
5) ACIONE SUA CHAVE INTERNA PARA TRANSFORMAR O NEGATIVO EM POSITIVO
6) TORNE-SE MAIS ORIENTADO PARA O FUTURO: LEMBRE-SE DA SUA VISÃO PESSOAL E DO VALOR DO TEMPO
7) TORNE-SE MAIS ORIENTADO PARA O PASSADO POSITIVO: RELEIA SUA LISTA DA GRATIDÃO E SUA LISTA DE REALIZAÇÕES PESSOAIS
8) APERTE O BOTÃO RESTART E RECOMECE MELHOR
9) PREPARE SEU MAPA DO DIA
10) PRATIQUE O HEROÍSMO E COMECE A TRABALHAR NA SUA PRIMEIRA TAREFA

Crescimento pessoal e declínio pessoal

A vida nem sempre muda gradualmente; em geral, ela se modifica aos saltos. A mudança é influenciada por dois **ciclos**.

Primeiro, existe o **ciclo do fluxo (positivo)**: quanto mais sucesso você tem, mais feliz se sente e mais acredita em si mesmo e na sua visão pessoal. Com mais dopamina liberada no cérebro, você fica mais criativo e sua capacidade de aprendizado melhora. Assim, você acaba tendo ainda mais sucesso no que faz.

No entanto, existe também o **ciclo do hamster (negativo)**. Algo dá errado, fazendo você deixar de acreditar em si mesmo e começar a duvidar da própria capacidade e do sentido da vida. Com um nível baixo de dopamina, você não é muito criativo, tem dificuldade para aprender, sofre uma redução na sua autoconfiança, fica paralisado e cai na procrastinação.

Muita gente flutua entre esses dois ciclos sem ser sugada por nenhum deles. Só quando cruzamos o **ponto de virada** é que um desses ciclos é ativado.

O propósito deste livro é fornecer às pessoas os meios para criar e preservar um ciclo do fluxo positivo. É por isso que todas as ferramentas aqui expostas estão engenhosamente interligadas:

1. A **visão pessoal** aumenta sua motivação intrínseca, torna você mais orientado para o futuro e serve para lembrá-lo do valor do tempo.
2. A **lista de hábitos** fortalece seus recursos cognitivos e doma seu elefante.

3. O **mapa do dia** ajuda você a organizar suas tarefas e a gerenciar melhor seu tempo.
4. O **heroísmo** ensina você a sair da sua zona de conforto.
5. A **lista da gratidão** torna você mais orientado para o passado positivo.
6. A **chave interna** ajuda você a transformar o negativo em positivo.
7. O **botão restart** coloca você de volta nos trilhos caso tenha perdido o rumo.

FLUXO

PONTO DE VIRADA

PONTO DE VIRADA

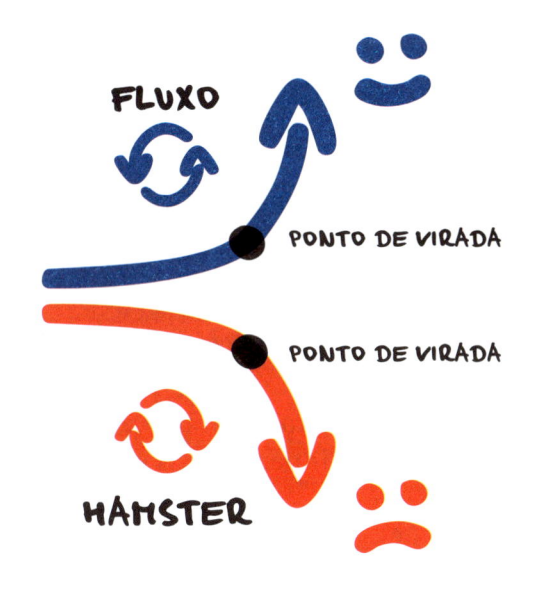

HAMSTER

NEM O CRESCIMENTO NEM O DECLÍNIO PESSOAL ACONTECEM AOS POUCOS. SE VOCÊ CRUZA O PONTO DE VIRADA, É SUGADO PARA UM DESSES DOIS CICLOS: O CICLO DO FLUXO, EM CASO DE CRESCIMENTO, OU O CICLO DO HAMSTER, EM CASO DE DECLÍNIO.

Recapitulando o capítulo: Resultados

Se você cumpre sua visão realizando as ações certas, obtém **resultados emocionais e materiais**. Você se sente feliz e consegue ver as consequências do seu esforço.

Mesmo quando você estiver cumprindo sua visão, às vezes algo vai tirá-lo do rumo, abalando sua felicidade. Um mau humor ocasional não é algo terrível, mas você precisa saber como sair rápido dele.

A parte do cérebro humano conhecida como **amígdala** está constantemente tentando detectar o perigo em tudo à nossa volta e amplifica os **estímulos negativos**. Se forem muitos, a amígdala vai dar mais atenção a eles e vai deixar de perceber os estímulos positivos. Isso vai deixar você infeliz.

A infelicidade e as emoções negativas são **socialmente contagiosas**, podendo resultar no pessimismo coletivo, em que as pessoas reforçam a negatividade umas das outras.

Uns poucos fracassos, ou estímulos negativos, poderiam induzir um estado de **impotência aprendida** – ou seja, você pode contrair um **hamster**.

Você pode se livrar de hamsters se tornando mais **orientado para o futuro** e, ao mesmo tempo, adotando a orientação para o passado **positivo** em vez de para o passado negativo. As ferramentas da chave interna e da lista da gratidão vão ajudá-lo nisso.

O micro-hábito de acionar a **chave interna** se baseia na sua liberdade de escolher como o mundo exterior influencia você. É possível usar esse método para superar seus fracassos, enfrentar os golpes do destino e lidar com experiências passadas negativas.

A **lista da gratidão** tem como base a ideia de que anotar regularmente três acontecimentos positivos do dia pode tornar você mais feliz e orientado para o passado positivo.

O **botão restart do hamster** é uma ferramenta única que pode colocar você de volta nos trilhos caso perca o rumo e caia num estado de impotência aprendida.

Existe tanto o ciclo do **hamster** quanto o ciclo do **fluxo**. Ambos afetam sua motivação, sua disciplina e, consequentemente, seus resultados. Onde existe um hamster existe um terreno fértil para a procrastinação. Por outro lado, quanto mais você está em fluxo, menos procrastina.

Em média, quão feliz você se sentiu no mês passado? Como você avaliaria os resultados reais do seu esforço? Agora, mais uma vez numa escala de 1 a 10, dê uma nota aos seus **resultados** emocionais e materiais e a quão bem está usando os métodos descritos neste capítulo.

Assim como em outros capítulos, aqui recomendo que você repita sua autoavaliação futuramente. Você vai notar que, à medida que usar essas ferramentas e suas notas aumentarem, seus resultados gerais melhorarão. Espero que este capítulo traga mais felicidade e equilíbrio. Uma vez que você tenha aprendido a melhorar sua **motivação**, sua **disciplina** e seus **resultados**, falta apenas uma peça do quebra-cabeça do desenvolvimento pessoal: a **objetividade**.*

1 A 10

- RESULTADOS
- FERRAMENTA: CHAVE INTERNA
- FERRAMENTA: LISTA DA GRATIDÃO
- FERRAMENTA: BOTÃO RESTART

---

* *Nota do autor:* Considero a objetividade o mais importante dos quatro grandes temas abordados neste livro. É o que tem o significado mais profundo para mim, embora isso talvez não fique claro à primeira vista. Mas, pelo que a experiência me ensinou, a objetividade é o que tem o maior potencial de nos fazer progredir na vida.

OBJETIVIDADE

APRENDENDO A PERCEBER NOSSAS FALHAS

McArthur Wheeler, de Pittsburgh, assaltou dois bancos em plena luz do dia sem nem tentar esconder o rosto. As imagens das câmeras de segurança exibidas no noticiário levaram à sua identificação, e quando a polícia o prendeu, pouco depois, ele ficou em choque por ter sido reconhecido. Com um olhar incrédulo, balbuciou: "Mas eu passei limão na cara."[92]

Nós, seres humanos, percebemos o mundo à nossa volta com nossos sentidos (como você está lendo este livro agora mesmo, isso também vale para você). Tudo que vemos, ouvimos e sentimos percorre nosso cérebro como um fluxo de dados sem sentido. Com base na avaliação que o cérebro faz desses dados, nós tomamos nossas decisões, que então determinam como vamos agir e nos comportar.

Se os receptores de calor na sua boca informam que você está bebendo chá quente demais, você cospe a bebida. Se sente que alguém agiu errado, você se protege. Se está dirigindo e de repente vê as luzes vermelhas do carro à sua frente se acenderem, imediatamente reage tirando o pé do acelerador e freando.

As regras seguidas pelo seu cérebro para tomar decisões são os chamados *modelos mentais*: ideias e conceitos armazenados no nosso cérebro sobre como o mundo funciona.[93]

Cada um dos nossos modelos mentais pode ser avaliado por sua correspondência com a realidade. É o que chamamos de **objetividade**. Achar que bater com a cabeça no chão vai solucionar a fome na África provavelmente teria uma nota baixíssima na escala de objetividade. Já um

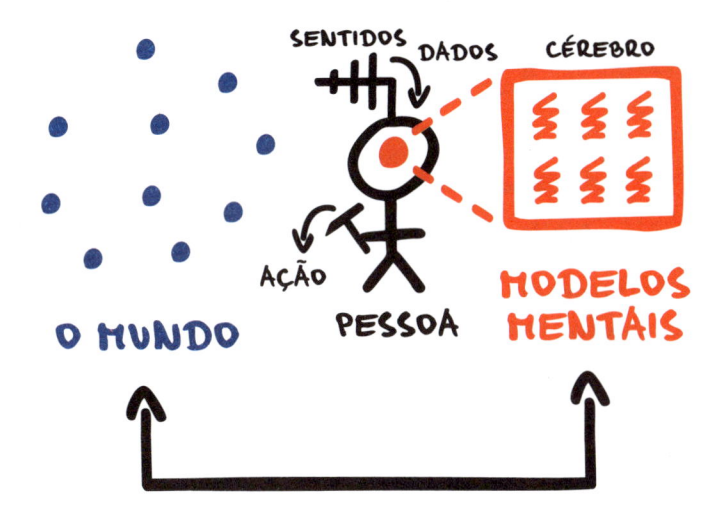

O SER HUMANO PERCEBE O **MUNDO EXTERIOR** POR MEIO DOS SENTIDOS. OS DADOS SENSORIAIS SÃO CONDUZIDOS ATÉ O CÉREBRO, QUE USA **MODELOS MENTAIS** PARA AVALIÁ-LOS E, EM SEGUIDA, TOMAR DECISÕES. ESSAS DECISÕES ENTÃO DEFINEM NOSSAS AÇÕES E NOSSO COMPORTAMENTO. **MODELOS MENTAIS** SÃO IDEIAS ARMAZENADAS NO NOSSO CÉREBRO SOBRE COMO O **MUNDO EXTERIOR** FUNCIONA.

NÍVEL DE OBJETIVIDADE:

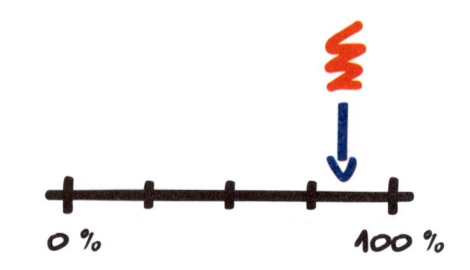

0 %   **100 %**

PODEMOS ATRIBUIR AOS **MODELOS MENTAIS** UMA **PROBABILIDADE** DE CORRESPONDÊNCIA COM A REALIDADE.

modelo mental que define que se você der um tiro na cabeça vai acabar morto tem um nível alto de objetividade.

O problema é que o cérebro humano é presa fácil daquilo que se conhece como *efeito Dunning-Kruger*:[94] acreditar em ideias subjetivas como se fossem fatos objetivos. Todos nós seguimos vários modelos mentais em que acreditamos firmemente ainda que não correspondam à realidade. Muitas vezes confundimos ideias subjetivas com fatos objetivos.

Pesquisas recentes mostraram que algumas das nossas ideias subjetivas sobre o funcionamento do mundo despertam os mesmos sentimen-

FALTA DE OBJETIVIDADE:

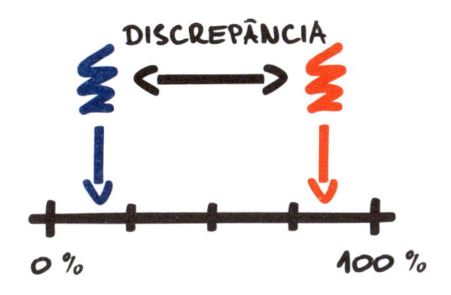

AVALIAMOS MUITOS DOS NOSSOS MODELOS MENTAIS SUBJETIVAMENTE, ATRIBUINDO A ELES UM GRAU DE PROBABILIDADE QUE NÃO CORRESPONDE À REALIDADE OBJETIVA. OU SEJA: ACREDITAMOS EM COISAS QUE NÃO SÃO VERDADEIRAS.

tos que fatos objetivos como "2 + 2 = 4".[95] Temos plena convicção de que são verdadeiras – só que nosso cérebro se engana com relativa frequência em relação a isso.

O tal ladrão, McArthur, acreditava que, se cobrisse o rosto (inclusive os olhos) com suco de limão, ficaria invisível às câmeras. E acreditava nisso com tanta convicção que foi destemidamente assaltar dois bancos com a cara besuntada de suco de limão. Um modelo que para nós soa absurdo era, para ele, uma verdade irrefutável. Wheeler atribuiu uma certeza subjetiva absoluta ao seu modelo não objetivo. Estava sofrendo do efeito Dunning-Kruger.

O efeito Dunning-Kruger e a cegueira do incompetente

A história de Wheeler inspirou os pesquisadores David Dunning e Justin Kruger a estudar esse fenômeno mais a fundo. Eles estavam intrigados com a óbvia disparidade entre a competência real das pessoas e a competência que elas julgavam ter. Dunning e Kruger formularam a hipótese de que pessoas incompetentes têm dois tipos de problema:

- Por serem incompetentes, **tomam decisões erradas** (como passar suco de limão no rosto e sair por aí assaltando bancos).
- **Não conseguem perceber** que tomam decisões erradas (nem as imagens das câmeras de segurança convenceram Wheeler de que ele não tinha ficado invisível: ele alegou que tinham sido forjadas).

Os pesquisadores testaram a validade dessas hipóteses em uma amostragem de participantes. Primeiro, realizaram um teste para avaliar como se saíam em certo domínio (raciocínio lógico, gramática ou humor). Depois, pediram aos participantes que avaliassem as próprias habilidades. Os pesquisadores fizeram duas descobertas interessantes:

- As pessoas menos competentes (a quem se referiram como *incompetentes* na pesquisa) tendiam a **se superestimar**: acreditavam ser muito melhores do que realmente eram. Aliás, quanto menos competentes, melhores se achavam. Os indivíduos mais sem graça, por exemplo, julgavam-se os mais divertidos. Esse fenômeno já havia sido elegantemente descrito por Charles Darwin tempos atrás: "*A ignorância gera confiança mais frequentemente que o conhecimento.*"

- A segunda descoberta interessante foi que os participantes mais competentes tendiam a **se subestimar**: julgavam que as próprias **habilidades** eram bem menores do que se revelaram. Isso pode ser explicado pelo fato de que, se algo nos parece fácil, concluiremos que todo mundo acha o mesmo.

Em outra parte do experimento, os participantes tiveram a possibilidade de avaliar os resultados dos testes de outras pessoas e depois foi-lhes solicitado que realizassem uma nova autoavaliação.

Os **competentes** perceberam que tinham se saído melhor do que haviam pensado e modificaram sua autoavaliação – ou seja, tornaram sua autoavaliação mais objetiva.

Os **incompetentes**, mesmo confrontados com a realidade, não mudaram sua autoavaliação. Foram incapazes de reconhecer que os outros se saíram melhor que eles. Nas palavras de Forrest Gump: "*Se você faz idiotices, é porque é idiota.*"

Em suma, esse **estudo mostrou** que *quem que não sabe algo também não sabe que não sabe*. Pessoas incompetentes em determinada atividade inflam demais as próprias habilidades aos próprios olhos. Não conseguem avaliar as habilidades dos outros e não mudam a percepção de si mesmas nem depois de confrontadas com a realidade.

Deste ponto do livro em diante, quando citarmos pessoas com esse problema, vamos dizer simplesmente que elas "sofrem de Dunning-Kruger" (ou DK, para abreviar). Essa pesquisa demonstra que, quando tiramos conclusões erradas – não objetivas –, é a falta de percepção, de objetividade, que nos impede de reconhecer o erro.

O EFEITO DUNNING-KRUGER:

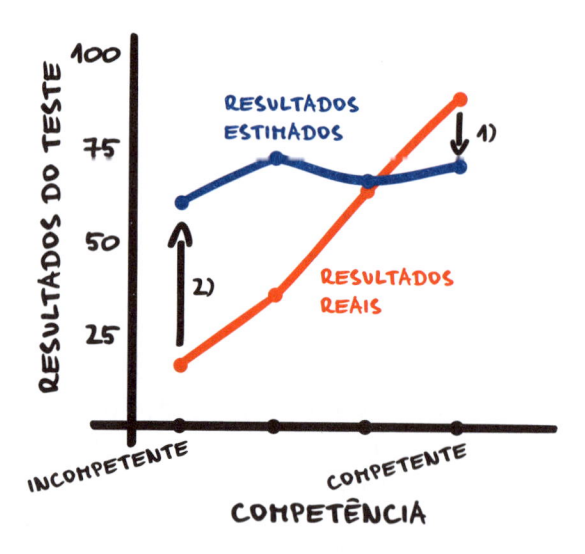

Eixo Y: RESULTADOS DO TESTE (25, 50, 75, 100)
Eixo X: COMPETÊNCIA (INCOMPETENTE → COMPETENTE)

- RESULTADOS ESTIMADOS (linha azul) — 1)
- RESULTADOS REAIS (linha vermelha) — 2)

A PESQUISA FEZ DUAS DESCOBERTAS PRINCIPAIS:
1) PESSOAS COMPETENTES COSTUMAM SE SUBESTIMAR
2) PESSOAS INCOMPETENTES COSTUMAM SE SUPERESTIMAR

Doce ignorância: a guardiã do nosso cérebro

O distúrbio conhecido como *anosognosia* indica que o efeito Dunning-Kruger pode ser um mecanismo de proteção. A anosognosia é um tipo de dano cerebral às vezes encontrado em pessoas que perderam um braço ou uma perna. Os anosognósicos pensam que ainda têm o membro e ninguém consegue convencê-los do contrário.[96]

Imagine um paciente que perdeu a mão direita e esteja apresentando anosognosia. Quando o médico fala sobre sua mão esquerda (a saudável), o paciente se comunica normalmente, mas, quando a conversa se volta para a mão direita, o paciente age como se não ouvisse o que o médico diz. Tomografias do cérebro mostraram que não é uma reação consciente. O cérebro danificado do paciente bloqueia inconscientemente informações sobre o membro perdido.[97]

Ocorrem até casos em que não se consegue convencer pessoas cegas de sua cegueira.[98] Tais exemplos extremos de anosognosia sustentam a teoria de que nosso cérebro é capaz de ignorar intencionalmente informações que indiquem nossa incompetência.

Para o cérebro do bandido do limão, era mais simples dizer que os indícios tinham sido forjados do que admitir ser incompetente e cego à realidade naquele aspecto.

O cérebro humano age de maneira semelhante quando simplesmente ignora as informações que contradizem nossos modelos mentais. Desse modo, nosso cérebro nos mantém num estado de doce ignorância. Mas será que a falta de objetividade é sempre tão doce assim? Quais são os riscos envolvidos? Por que se dar ao trabalho de buscar a objetividade?

Por que combater a falta de objetividade?

Eu tive um colega de turma que não era lá muito engraçado. Para ser mais exato, as piadas dele eram sofríveis, constrangedoras. Muita gente realmente ria quando ele fazia alguma brincadeira, só que, infelizmente, as pessoas estavam rindo *dele*, não *com* ele. Esse rapaz provavelmente interpretava aqueles risos como uma confirmação do seu talento para a comédia e se sentia estimulado a contar mais e mais piadas.

Muitos anos se passaram desde que o conheci, mas eu não me surpreenderia se descobrisse que ele não mudou seu comportamento. Você iria gostar de ser como ele? Quer passar a vida inteira sendo o único a não ver os próprios defeitos (seu efeito Dunning-Kruger)?

Por que é importante buscar a objetividade?

- **Modelos mentais mais objetivos levam a decisões melhores.** Modelos mentais mais condizentes com a realidade ajudam você a prever as consequências do seu comportamento com mais precisão. No entanto, se você estiver sofrendo do efeito Dunning-Kruger, suas ações não terão as consequências pretendidas. Autoconfiança exagerada não é garantia de sucesso. Passar suco de limão na cara simplesmente não vai tornar você invisível.
- **Sem objetividade não há crescimento pessoal.** Às vezes encon-

tro gestores que estão convencidos de serem os melhores líderes do mundo – pena que são os únicos a pensar assim em suas empresas fracassadas. Outra razão para aumentar sua objetividade é que você só vai conseguir começar a melhorar suas falhas se reconhecê-las. Portanto, procurar em que pontos você sofre do efeito Dunning-Kruger é, provavelmente, uma das coisas mais importantes que pode fazer pelo seu desenvolvimento pessoal.

- **A falta de objetividade, ainda que bem-intencionada, pode prejudicar os outros.** Não é à toa que dizem: "*De boas intenções o inferno está cheio.*" O terceiro e principal motivo para você combater a falta de objetividade foi expresso também por Bertrand Russell: "*Os homens causaram o maior sofrimento a outros homens porque estavam convencidos de coisas que se revelaram não verdadeiras.*"

Por exemplo, muitos assassinos em massa continuam achando, tempos depois de cometerem seus crimes terríveis, que agiram bem e que não são más pessoas. Basta ver como o ativista norueguês Anders Breivik se apresentou em seu julgamento pelo atentado de 2011 que resultou em 77 mortos: estava firmemente convicto de ter feito a coisa certa. Seus modelos mentais não tinham mudado.

Como combater a falta de objetividade em si mesmo? Como evitar o efeito Dunning-Kruger? Como descobrir as próprias falhas e aumentar a objetividade no longo prazo?

Como exatamente aumentar a objetividade?

A objetividade e a verdade estão entre os valores mais importantes para o bom funcionamento e o crescimento de uma sociedade. O efeito Dunning-Kruger é inimigo desses valores. E ele é particularmente traiçoeiro porque consegue bloquear a objetividade direto na nossa cabeça. Não caia nessa armadilha. Para ajudar você a não sofrer do efeito DK, veja os princípios a seguir.

- **Aumente sua competência por meio do estudo.** Em outro experimento, Dunning e Kruger descobriram que treinamento e instrução podem ajudar pessoas incompetentes a avaliar melhor os outros e a si mesmas.[99] Depois que você melhora em certa área, consegue reconhecer quão incompetente era antes. Sócrates expressou a importância do estudo ao afirmar: "*O único bem é o conhecimento e o único mal é a ignorância.*"
- **Busque boas fontes de informação.** É crucial buscar fontes de qualidade na atual era da informação. Se qualquer um pode postar qualquer coisa na internet com facilidade, cabe a você aprender a avaliar a qualidade do que está disponível. Para começar, publicações e estudos acadêmicos normalmente são mais confiáveis que tabloides ou blogs anônimos. Além disso, quando o texto aponta as fontes das quais foram extraídos os fatos citados, isso é sinal de que o autor tentou ser fiel à realidade. A Wikipédia, por exemplo, encoraja seus colaboradores a incluir listas de fontes consultadas para cada artigo.

É humanamente impossível entender em detalhes todos os aspectos de como o mundo funciona, por isso os modelos mentais são simplificações, ou seja, sempre têm uma parcela de inexatidão. No entanto, segundo Bertrand Russell, "*quando se admite que nada é certo, acho que é preciso admitir também que algumas coisas se aproximam mais da certeza do que outras*".

- **Não tenha pontos de vista rígidos sobre assuntos que você não domina**. Informações insuficientes ou distorcidas pela mídia são terrenos férteis para o efeito Dunning-Kruger. Basta olhar as seções de comentários dos sites de notícias: todo mundo ali se julga especialista em tudo. Se você quer evitar falar bobagens, dê sua opinião apenas sobre temas de que realmente entende. E não misture as coisas: não é porque você é bem-sucedido como zoólogo que entende também de design. Além do mais, você não precisa ter opinião sobre tudo. É melhor admitir que não sabe ou que não tem opinião formada sobre um assunto que não domina. Richard Feynman, ganhador do Prêmio Nobel de Física, declarou: "*Acho bem mais interessante viver sem saber do que ter respostas que poderiam estar erradas.*"
- **Questione sua intuição**. Não apenas duvide, questione ativamente. A dúvida, por si só, não leva a nada. É preciso questionar constantemente o que se vê, pois isso é buscar ativamente imperfeições nos seus modelos mentais e tentar meios de aperfeiçoá-los. Como demonstrou a pesquisa do economista comportamental Dan Ariely, nossa intuição costuma estar errada.[100] Veja o que ele tem a dizer

sobre a questão: "*Nós – e com isso quero dizer Você, Eu, as Empresas e os Governantes – precisamos duvidar da nossa intuição. Se continuarmos seguindo o instinto e a voz correntes ou fazendo o mais fácil ou mais habitual só porque 'Ah, mas sempre foi assim', continuaremos cometendo erros.*" Seja um herói diário questionando as próprias opiniões. Buscar ativamente os pontos em que você está enganado é uma das maiores zonas de desconforto.

- **Busque feedback externo**. Comece a questionar suas opiniões subjetivas coletando opiniões de pessoas à sua volta. Ao final dos meus workshops, peço o feedback e a avaliação anônimos dos participantes. Em diversas ocasiões senti que um evento específico foi um dos melhores que já organizei, mas o feedback dos participantes indicou que foi apenas mediano. Outras vezes achei que tinha sido ruim, mas as avaliações recebidas indicaram exatamente o oposto. Essas experiências confirmaram minha impressão de que às vezes é melhor confiar mais em feedback externo do que na própria opinião. Tente sempre extrair algo do que ouvir, mesmo que de início não concorde com o feedback. Não o ignore simplesmente.
- **Desenvolva o pensamento crítico**. Ter um pensamento crítico significa ter a liberdade de pensar por si mesmo e não aceitar passivamente tudo que nos é transmitido por figuras de autoridade e outras pessoas. O pensamento crítico também é útil para indicar se certas informações são verdadeiras ou não. Se ele conduzir você a uma opinião diferente daquela que é expressa por todos os demais, tenha a

coragem de expressá-la. Bertrand Russell descreveu assim o heroísmo necessário para deixar sua zona de conforto e expor seu posicionamento: "*Salvar o mundo exige fé e coragem: fé na razão e coragem para proclamar o que a razão mostrar ser verdade.*"

- **Tente refutar suas ideias tanto quanto tenta confirmá-las**. Não faz muito tempo, um conhecido meu se vangloriou de seu hábito de "olhar para o sol do meio-dia" por vários minutos, alegando melhorar a visão. Ele também me explicou como as empresas farmacêuticas mantêm esse método "milagroso" em segredo para enriquecer vendendo medicamentos. Na internet é possível encontrar confirmação para praticamente qualquer coisa, mesmo para a ideia de que olhar direto para o sol faz bem à saúde. Temos a tendência a procurar informações que confirmem nossas crenças.[101] Queremos confirmação dos nossos modelos mentais. Para combater o efeito Dunning-Kruger, porém, é importante buscar argumentos que refutem nossa opinião. Você precisa tentar achar argumentos *contra* suas crenças, buscando fatos que se oponham ao seu pensamento. Avaliar argumentos a favor e contra certa crença leva a uma opinião mais objetiva. Segundo Richard Dawkins, professor de Biologia na Universidade de Oxford: "*Tenhamos uma mente aberta, mas não tão aberta que nosso cérebro escorregue e caia.*"
- **Aplique o princípio da navalha de Occam**. Esse princípio lógico de 700 anos atrás afirma que, se existe mais de uma explicação para certo fenômeno, o mais provável é que a mais simples seja a verdadeira.

Os responsáveis pelos ataques de 11 de setembro de 2001 foram realmente terroristas? Ou o governo americano estava por trás de uma ampla conspiração em que tudo foi forjado para que parecessem ter sido atos de terroristas? Se quisermos formar uma opinião de acordo com a navalha de Occam, a primeira opção, que é a menos complicada, provavelmente é a verdadeira. A navalha de Occam é boa para formar uma rápida opinião inicial sobre novos assuntos. No entanto, para obter maior objetividade, você sempre precisará buscar mais informações confiáveis.

- **Cuidado com o efeito Dunning-Kruger em massa.** Em 1978, mais de 900 pessoas da seita Templo do Povo morreram ao cometerem o maior suicídio em massa da história.[102] Esse é um caso extremo, mas, em escala menor, a falta de objetividade em massa é muito comum. Às vezes, pessoas de personalidade forte escolhem, inconscientemente, se cercar de gente que confirme seus modelos mentais. Aos poucos, elas se fecham numa espécie de bolha da inobjetividade, onde não recebem nenhuma informação que contrarie suas ideias. Isso ocorre tanto em famílias quanto em empresas. O resultado são pequenos grupos com uma mesma ideia sobre algo que, infelizmente, não corresponde à realidade. A falta de objetividade em massa é um dos maiores riscos sociais que existem. O escritor do século XIX Julius Zeyer tinha uma visão relativamente inflexível desse risco: "*A multidão é sempre cega.*"
- **Não seja dogmático.** Dogmas, ou seja, verdades inquestionáveis, são uma fonte comum de falta de objetividade. Por isso, é preci-

so estar sempre disposto a admitir a possibilidade de sua opinião estar errada. Aceite que você pode estar sob a influência do efeito Dunning-Kruger.* Se tiver alguma crença firme como uma rocha, tente reconhecer que você pode não estar certo. Se, por exemplo, Adolf Hitler ou Anders Breivik tivessem admitido isso, talvez não tivessem ido tão longe em seus atos. O escritor André Gide, ganhador do Prêmio Nobel, expressou os riscos do dogma deste modo: "*Siga o homem que busca a verdade; fuja do homem que a encontrou.*"

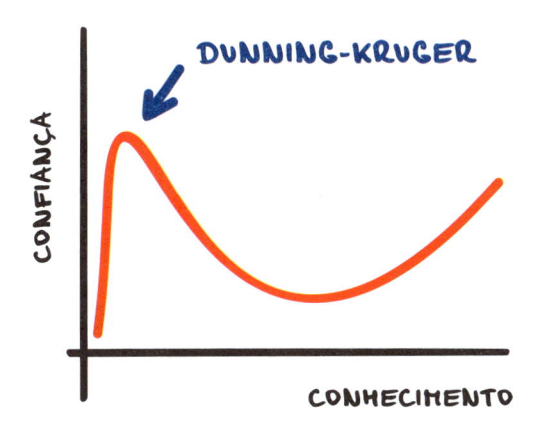

---

* *Nota do autor:* Eu, por exemplo, admito a possibilidade de todo este livro não ser objetivo. Se for o caso, e alguém me fornecer informações melhores, estou disposto a reavaliar de bom grado minhas conclusões.

Recapitulando o capítulo: Objetividade

Nosso cérebro toma decisões baseando-se em **modelos mentais**.

Modelos mentais representam nossas ideias sobre como o mundo à nossa volta funciona.

O fato de alguém acreditar firmemente em seus modelos não significa que estes estejam corretos.

Estamos todos sujeitos ao **efeito Dunning-Kruger**: volta e meia acreditamos em coisas que nao sao verdadeiras.

Quanto menos objetivo você for, mais decisões falhas vai tomar.

Se você quer tentar melhorar a si mesmo, precisa encontrar áreas em que não esteja sendo objetivo.

Você pode aumentar sistematicamente sua objetividade.

Para combater o efeito Dunning-Kruger, é preciso sobretudo **instruir-se com informações obtidas de fontes confiáveis**.

Outras formas de aumentar sua objetividade incluem **coletar diferentes tipos de feedback, desenvolver o pensamento crítico** e **questionar sua intuição e seus dogmas**.

A inobjetividade de um indivíduo tem o potencial de levar a uma forma bem perigosa de **cegueira coletiva**.

A busca pela verdade é uma jornada sem fim.

Ficarei contente no dia em que o efeito Dunning-Kruger for de conhecimento geral e discutido com frequência. Chamar alguém de burro não ajuda em nada. Seria mais útil apontar sua falta de objetividade dizendo: "Esse sujeito sofre de DK." Quando as pessoas discutem, admitir que possam estar sofrendo do efeito Dunning-Kruger aumenta as chances de chegarem a um acordo. Se mais pessoas tentarem ser objetivas, haverá no mundo menos mal causado por percepções distorcidas.

Em uma escala de 1 a 10, quanto você tenta tornar seus modelos mentais mais **objetivos**?

1 A 10
☐ OBJETIVIDADE

CONCLUSÃO

O SEGREDO DA LONGEVIDADE

Recentemente eu me encontrei com um cliente a quem tinha dado consultoria pela última vez mais de um ano antes. Só de olhar para ele, notei que parecia bem mais equilibrado do que naquela época. Desde nosso último encontro, ele se livrara de quase todos os seus maus hábitos e formara vários hábitos positivos.

Ele me contou que estava vivendo um dos períodos mais felizes da sua vida. Após muitos anos, havia encontrado um propósito, algo que o levava ao estado de fluxo. Sua procrastinação crônica quase desaparecera. Mesmo após um ano sem orientação, tudo ia bem.

Qual foi o segredo dessa mudança nele? Como você pode aplicar as informações deste livro no seu dia a dia?

Muitas pessoas fazem cursos e recebem consultorias individuais, apenas para retomarem os velhos hábitos após poucos dias ou semanas. Muitas esquecem rápido a maior parte do que acabaram de ler em livros de autoajuda. Não ocorre nenhuma mudança de longo prazo.

Passei muitos anos procurando uma maneira de contornar esse fenômeno. Era perturbador notar que meu cérebro vivia esquecendo até as coisas mais importantes para meu desenvolvimento pessoal. Felizmente, meus colegas e eu descobrimos um método que resolve muito bem esse problema – nós o chamamos de *encontro marcado*.

FERRAMENTA: encontro marcado

A rotina maçante ou exaustiva não nos deixa tempo para parar e pensar no desenvolvimento pessoal ou para elaborar um plano de vida de longo prazo. Nossa vida muitas vezes não passa de uma série de reações a condições externas, e assim vamos sendo levados. Se você quer ir em frente, seu crescimento pessoal precisa ser construído sobre uma base estável. É aí que entram em jogo os **encontros marcados**.

Esses encontros se baseiam na ideia do autocoaching. No processo de coaching clássico, o coach faz uma série de perguntas que visam estimular seu pensamento sobre elementos críticos do seu crescimento pessoal. No autocoaching, você mesmo se faz essas perguntas.

Você pergunta a si mesmo quão longe avançou recentemente, leva em conta a direção que gostaria de trilhar na vida, pensa no que pode melhorar ainda mais. Em uma escala de 1 a 10, você avalia quão bem está usando as ferramentas práticas de desenvolvimento pessoal que aprendeu. Durante esses encontros, você pode também rever os modelos teóricos apresentados neste livro. Por fim, estabelece tarefas específicas a cumprir antes do próximo encontro consigo mesmo.

Como funcionam os encontros marcados?

Sugiro que você "convoque" uma reunião de autocoaching uma vez por semana, de preferência sempre no mesmo horário (digamos, todo domingo às quatro da tarde). Também vale a pena escolher um lugar especial para essas reuniões – talvez seu café preferido, por exemplo. Eu não recomendaria ter esses encontros marcados na escrivaninha da sua casa, diante do computador – com filmes e toda a internet à sua disposição. Se você conseguir associar um lugar especial ao esforço de desenvolvimento pessoal, será mais fácil transformar esses encontros em hábito e, assim, eles se tornarão uma parte duradoura e estável de sua vida.

Reserve cerca de uma hora para esse encontro. Sente-se com papel e caneta e desligue o celular. Durante as sessões de autocoaching, responda às perguntas da página seguinte. Anote suas respostas e as ideias importantes que surgirem, para poder consultá-las em encontros futuros.

Possíveis riscos

O maior risco é você protelar as reuniões. Estabeleça prioridade máxima para manter a regularidade desses encontros. Recomendo marcar logo vários na sua agenda, para as próximas semanas. Se isso não for possível, tenha ao menos sempre dois planejados, pois, se um deles furar, você não vai interromper o hábito.

Outro possível risco é que, no início, você não saiba exatamente como realizar essas reuniões ou o que escrever no papel. Uma cliente minha me contou que adiava seus encontros marcados por não saber o que fazer durante aquela hora. Para evitar isso, criamos um formulário que pode ser útil. Ele está na próxima página e você também pode baixá-lo em: **www.sextante.com.br/livros/o-fim-da-procrastinacao**, na seção "Conteúdos especiais". De qualquer modo, depois de alguns encontros é provável que você se veja fazendo tudo quase automaticamente.

O ENCONTRO MARCADO:

1) QUANTO PROGREDI DESDE O ÚLTIMO ENCONTRO? EM QUE ME SAÍ BEM?

2) ATÉ ONDE EU GOSTARIA DE PROGREDIR ATÉ O PRÓXIMO ENCONTRO? EM QUAL ASPECTO DO MEU DESENVOLVIMENTO PESSOAL QUERO ME CONCENTRAR?

3) COMO TENHO USADO AS FERRAMENTAS?

1 A 10
- [ ] VISÃO PESSOAL
- [ ] LISTA DE HÁBITOS
- [ ] MAPA DO DIA
- [ ] HEROÍSMO

1 A 10
- [ ] LISTA DA GRATIDÃO
- [ ] CHAVE INTERNA
- [ ] BOTÃO RESTART
- [ ] ENCONTRO MARCADO

4) LISTA DE TAREFAS A CUMPRIR ATÉ O PRÓXIMO ENCONTRO:

O fim da procrastinação e seu novo começo

O propósito principal deste livro é ajudar você a entender como funciona a procrastinação. Apresentamos modelos teóricos e ferramentas práticas simples que podem ser um auxílio eficaz para alcançar a vitória definitiva nessa batalha.

Derrotar a procrastinação exige heroísmo diário. Espero que este livro ajude você a encontrar um propósito maior na vida e a felicidade duradoura, além de desenvolver mais produtividade, mais eficácia e um nível maior de objetividade. Se este livro ajudar apenas uma fração daqueles que o lerem, escrevê-lo já terá sido significativo para mim.

Não é à toa que dizem que a repetição é a mãe da habilidade. Por isso recomendo que você continue consultando este livro depois de lido. Não precisa reler, basta folhear. As ilustrações vão lhe relembrar as ideias principais aqui contidas. Mesmo eu, que apresento o conteúdo deste livro em vários workshops por semana há anos, ainda hoje me vejo descobrindo novas conexões. Acredito firmemente que você também terá sucesso em achar novas formas de aplicar bem estas informações.

Não vou ficar nem um pouco ofendido se este livro encontrar um lugar permanente junto ao seu vaso sanitário. O banheiro é o lugar ideal para rever as ideias centrais deste livro por vários minutos ao dia.*

---

* *Nota do autor:* Se não achar as ideias deste livro muito inovadoras, pode usar as páginas para outros fins.

A IDEIA MAIS IMPORTANTE DESTE LIVRO:

Para concluir, gostaria de lhe pedir um favor. Imagine que você tivesse que esquecer quase tudo que aprendeu neste livro e só pudesse se lembrar de uma única coisa. O que seria? Anote aqui. Eu ficaria muito feliz se você a enviasse por e-mail para mim: **petr@procrastination.com**. Obrigado.

Como disse certa vez o filósofo e psicólogo William James: "*O mais importante na vida é viver por algo mais do que apenas a própria vida.*" Espero que as informações deste livro sejam um auxílio em sua jornada. Agora é com você. Boa sorte.

TEORIA:

FUTURO

PRESENTE

1) MOTIVAÇÃO
2) DISCIPLINA
3) RESULTADOS
4) OBJETIVIDADE

FERRAMENTAS PRINCIPAIS:

1) VISÃO PESSOAL
2) LISTA DE HÁBITOS
3) MAPA DO DIA
4) HEROÍSMO
5) LISTA DA GRATIDÃO
6) CHAVE INTERNA
7) BOTÃO RESTART
8) ENCONTROS MARCADOS

MÉTODOS ADICIONAIS:

1) ANÁLISE SWOT PESSOAL
2) LISTA DE REALIZAÇÕES PESSOAIS
3) ANÁLISE DE ATIVIDADES MOTIVADORAS
4) VERSÃO BETA DA SUA VISÃO
5) ANÁLISE DO HAMSTER

PLANO DE AÇÃO
OS PASSOS EXATOS QUE VOU DAR:

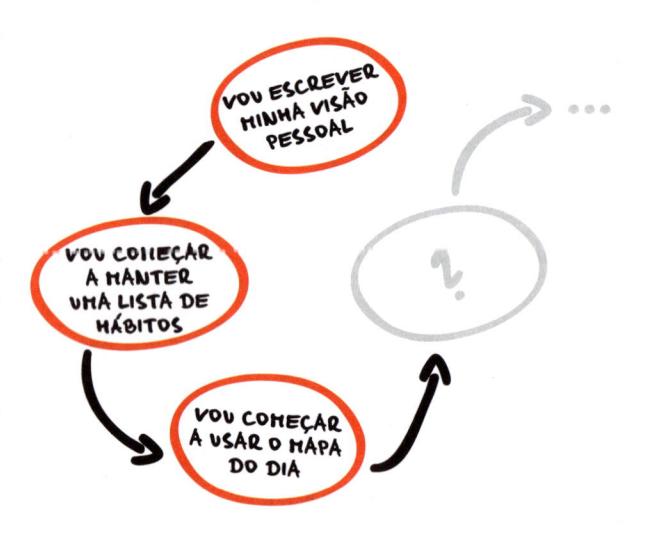

- VOU ESCREVER MINHA VISÃO PESSOAL
- VOU COMEÇAR A MANTER UMA LISTA DE HÁBITOS
- VOU COMEÇAR A USAR O MAPA DO DIA
- ?
- ...

NOTAS E REFERÊNCIAS

[1]

FERRARI, J. R. "Procrastination as self-regulation failure of performance: Effects of cognitive load, self-awareness, and time limits on 'working best under pressure'", *European Journal of Personality*, 2001, 15ª ed., nº 5, pp. 391-406.

BAUMEISTER, R. F. "Choking under pressure: Self-consciousness and paradoxical effects of incentives on skillful performance", *Journal of Personality and Social Psychology*, 1984, 46ª ed., nº 3, pp. 610-20.

GRAWE, K. *Neuropsychotherapy: How the Neurosciences Inform Effective Psychotherapy*. Nova Jersey: Routledge, 2007.

[2]

HESÍODO, "Os trabalhos e os dias". Tradução livre.

[3]

MORRISON, M. e ROESE, N. "Regrets of the typical american: Findings from a nationally representative sample", *Social Psychological and Personality Science*, 2011, 2ª ed., nº 6, pp. 576-83.

[4]

KINSELLA, K. G. "Changes in life expectancy 1900-1990", *The American Journal of Clinical Nutrition*, 1992, 55ª ed., nº 6, pp. 1196-202.

GOKLANY, I. M. *The Improving State of the World: Why We're Living Longer, Healthier, More Comfortable Lives on a Cleaner Planet*. Washington, D.C.: Cato Institute, 2007.

DIAMANDIS, P. H. e KOTLER, S. *Abundância: O futuro é melhor do que você imagina*. Rio de Janeiro: Alta Books, 2018.

[5]

ABOUHARB, M. R. e KIMBALL, A. L. "A new dataset on infant mortality rates, 1816-2002", *Journal of Peace Research*, 2007, 44ª ed., nº 6, pp. 743-54.

DIAMANDIS, P. H. e KOTLER, S. *Abundância: O futuro é melhor do que você imagina*. Rio de Janeiro: Alta Books, 2018.

[6]

KRUG, E. G.; MERCY, J. A.; DAHLBERG, L. L. e ZWI, A. B. "The world report on violence and health", *The Lancet*, 2002, vol. 360, nº 9339, pp. 1083-8.

PINKER, S. *Os anjos bons da nossa natureza: Por que a violência diminuiu*. São Paulo: Companhia das Letras, 2013.

[7]

MOORE, G. E. (1998). "Cramming more components onto integrated circuits". *Proceedings of the IEEE*, 86(1), pp. 82-5.

HILBERT, M. e LÓPEZ, P. "The world's technological capacity to store, communicate, and compute information", *Science*, 2011, nº 6025, pp. 60-5.

[8]

VEENHOVEN, R. Universidade Erasmo de Roterdã, *World Database of Happiness*, 2012. Disponível em <worlddatabaseofhappiness.eur.nl>, acesso em 6 nov. 2019.

SHIN, D. C. "Does rapid economic growth improve the human lot? Some empirical evidence". *Social Indicators Research*. Londres: publicado para o British Council e a National Book League pela Longmans, Green, 1980, 8ª ed., nº 2, pp. 199-221.

GALLUP. *Gallup.Com: Daily News, Polls, Public Opinion on Politics, Economy, Wellbeing, and World*. 2013, 24 mar. 2013. www.gallup.com.

[9]

REDELMEIER, D. A. "Medical decision making in situations that offer multiple alternatives", *The Journal of the American Medical Association*, 1995, 273ª ed., nº 4, pp. 302-5.

ARIELY, D. e LEVAV, J. "Sequential choice in group settings: Taking the road less traveled and less enjoyed", *Journal of Consumer Research*, 2000, 27ª ed., nº 3, pp. 279-90.

IYENGAR, S. S.; HUBERMAN, G. e JIANG, G. "How much choice is too much?: Contributions to 401(k) retirement plans", *Pension Design and Structure: New Lessons from Behavioral Finance*, 2005.

IYENGAR, S. S. e LEPPER, M. R. "Rethinking the value of choice: A cultural perspective on intrinsic motivation", *Journal of Personality and Social Psychology*, 1999, 76ª ed., nº 3, pp. 349-66.

IYENGAR, S. S.; WELLS, R. E. e SCHWARTZ, B. "Doing better but feeling worse: Looking for the 'best' job undermines satisfaction", *Psychological Science*, 2006, 17ª ed., nº 2, pp. 143-50.

SCHWARTZ, B. *O paradoxo da escolha: Por que mais é menos*. São Paulo: A Girafa, 2007.

IYENGAR, S. *A arte da escolha*. Belo Horizonte: Unicult, 2013.

[10]

IYENGAR, S. S. e LEPPER, M. R. "When choice is demotivating: Can one desire too much of a good thing?", *Journal of Personality and Social Psychology*, 2000, 79ª ed., nº 6, pp. 995-1006.

IYENGAR, S. S.; HUBERMAN, G. e JIANG, G. "How much choice is too much?: Contributions to 401(k) retirement plans", *Pension Design and Structure: New Lessons from Behavioral Finance*, 2005.

SCHWARTZ, B. *O paradoxo da escolha: Por que mais é menos*. São Paulo: A Girafa, 2007.

IYENGAR, S. *A arte da escolha*. Belo Horizonte: Unicult, 2013.

[11]

IYENGAR, S. S. e LEPPER, M. R. "When choice is demotivating: Can one desire too much of a good thing?", *Journal of Personality and Social Psychology*, 2000, 79ª ed., nº 6, pp. 995-1006.

IYENGAR, S. S.; HUBERMAN, G. e JIANG, G. "How much choice is too much?: Contributions to 401(k) retirement plans", *Pension Design and Structure: New Lessons from Behavioral Finance*, 2005.

REDELMEIER, D. A. "Medical decision making in situations that offer multiple alternatives", *The Journal of the American Medical Association*, 1995, 273ª ed., nº 4, pp. 302-5.

SCHWARTZ, B. *O paradoxo da escolha: Por que mais é menos*. São Paulo: A Girafa, 2007.

IYENGAR, S. *A arte da escolha*. Belo Horizonte: Unicult, 2013.

[12]

GILBERT, D. T. e EBERT, J. E. "Decisions and revisions: The affective forecasting of changeable outcomes", *Journal of Personality and Social Psychology*, 2002, 82ª ed., nº 4, pp. 503-14.

IYENGAR, S. S.; WELLS, R. E. e SCHWARTZ, B. "Doing better but feeling worse: Looking for the 'best' job undermines satisfaction", *Psychological Science*, 2006, 17ª ed., nº 2, pp. 143-50.

SCHWARTZ, B. *O paradoxo da escolha: Por que mais é menos*. São Paulo: A Girafa, 2007.

IYENGAR, S. *A arte da escolha*. Belo Horizonte: Unicult, 2013.

[13]
SCHWARTZ, B. *O paradoxo da escolha: Por que mais é menos*. São Paulo: A Girafa, 2007.
IYENGAR, S. *A arte da escolha*. Belo Horizonte: Unicult, 2013.
ARIELY, D. *Previsivelmente irracional*. Rio de Janeiro: Sextante, 2020.

[14]
BERRIDGE, K. C. e KRINGELBACH, M. L. "Affective neuroscience of pleasure: Reward in humans and animals", *Psychopharmacology*, 2008, nº 3, pp. 457-80.
CSÍKSZENTMIHÁLYI, M. *A descoberta do fluxo*. Rio de Janeiro: Rocco, 1999.
CSÍKSZENTMIHÁLYI, M. *Flow: The Psychology of Optimal Experience*. Nova York: HarperPerennial, 1991.

[15]
THOMSON REUTERS, *Web of Knowledge: Discovery Starts Here*, 2013. Disponível em: <webofknowledge.com>.

[16]
"Where can I find information on Yale's 1953 goal study?" [Onde posso encontrar informações sobre o estudo de Yale sobre metas de 1953?], pergunta respondida on-line pela Biblioteca da Universidade da Pensilvânia, disponível em <ask.library.yale.edu/faq/175224>, acesso em 7 nov. 2019.
TABAK, L. "If your goal is success, don't consult these gurus", *Fast Company*, 31 dez. 1996, disponível em <www.fastcompany.com/27953/if-your-goal-success-dont-consult-these-gurus>, acesso em 7 nov. 2019.

[17]
WARE, C. *Information Visualization: Perception for Design*, 3ª ed. Burlington: Morgan Kaufmann, 2012.

[18]
ARIAS-CARRIÓN, O. e PÖPPEL, E. "Dopamine, learning, and reward-seeking behavior", *Acta Neurobiol. Exp. Journal*, 2007, 67ª ed., nº 4.
BERRIDGE, K. C. e KRINGELBACH, M. L. "Affective neuroscience of pleasure: Reward in humans and animals", *Psychopharmacology*, 2008, nº 3, pp. 457-80.

KRINGELBACH, M. L. "The functional neuroanatomy of pleasure and happiness", *Discovery Medicine*, 2010, ano 9, 49ª ed., pp. 579-87.

LINDEN, D. *A origem do prazer: Como nosso cérebro transforma nossos vícios (e virtudes) em experiências prazerosas*. Rio de Janeiro: Elsevier, 2011.

[19]

NOVO NORDISK. *Novo Nordisk annual report 2015*. Disponível em <www.novonordisk.com/content/dam/Denmark/HQ/Commons/documents/Novo-Nordisk-Annual-Report-2015.PDF>, acesso em 7 nov. 2019.

[20]

ARIELY, D.; KAMENICA, E. e PRELEC, D. "Man's search for meaning: The case of Legos", *Journal of Economic Behavior and Organization*, 2008, 67ª ed., nº 3-4, pp. 671-7.

[21]

ARIAS-CARRIÓN, O. e PÖPPEL, E. "Dopamine, learning, and reward-seeking behavior", *Acta Neurobiol. Exp. Journal*, 2007, 67ª ed., nº 4.

ACHOR, S. "Positive intelligence", *Harvard Business Review*, 2012, 90ª ed., nº 1-2, pp. 100-2.

ASHBY, F. G.; ISEN, A. M. e TURKEN, A. U. "A neuropsychological theory of positive affect and its influence on cognition", *Psychological Review*, 1999, 106ª ed., nº 3.

ISEN, A. M. *Psychological and Biological Approaches To Emotion*. Hillsdale: L. Erlbaum Associates, 1990, pp. 75-94.

ACHOR, S. *O jeito Harvard de ser feliz*. São Paulo: Benvirá, 2012.

[22]

HOWES, M. J.; HOKANSON, J. E. e LOEWENSTEIN, D. A. "Induction of depressive affect after prolonged exposure to a mildly depressed individual", *Journal of Personality and Social Psychology*, 1985, 49ª ed., nº 4.

CHRISTAKIS, N. A. e FOWLER, J. H. "Dynamic spread of happiness in a large social network: Longitudinal analysis over 20 years in the Framingham Heart Study", *British Medical Journal*, 2008, nº 337.

HILL, A. L.; RAND, D. G.; NOWAK, M. A. e CHRISTAKIS, N. A. "Emotions as infectious diseases in a large social network: The SISa model". *Proceedings of the Royal Society B: Biological Sciences*, 2010, 277ª ed., nº 1701, pp. 3827-35.

CHRISTAKIS, N. A. e FOWLER, J. H. *O poder das conexões*. Rio de Janeiro: Elsevier, 2009.

[23]

LEPPER, M. R.; GREENE, D. e NISBETT, R. E. "Undermining children's intrinsic interest with extrinsic reward: A test of the 'overjustification' hypothesis", *Journal of Personality and Social Psychology*, 1973, 28ª ed., nº 1, pp. 129-37.

HEYMAN, J. e ARIELY, D. "Effort for payment: A tale of two markets", *Psychological Science*, 2004, 15ª ed., nº 11, pp. 787-93.

ARIELY, D.; GNEEZY, U.; LOEWENSTEIN, G. e MAZAR, N. "Large stakes and big mistakes", *Review of Economic Studies*, 2009, 76ª ed., nº 2, pp. 451-69.

GLUCKSBERG, S. "The influence of strength of drive on functional fixedness and perceptual recognition", *Journal of Experimental Psychology*, 1962, 63ª ed., nº 1, pp. 36-41.

PINK, D. H. *Motivação 3.0*. Rio de Janeiro: Sextante, 2019.

[24]

LEPPER, M. R.; GREENE, D. e NISBETT, R. E. "Undermining children's intrinsic interest with extrinsic reward: A test of the 'overjustification' hypothesis", *Journal of Personality and Social Psychology*, 1973, 28ª ed., nº 1, pp. 129-37.

GNEEZY, U. e RUSTICHINI, A. A. "Fine is a price", *The Journal of Legal Studies*, 2000, 29ª ed., nº 1, pp. 1-17.

PINK, D. H. *Motivação 3.0*. Rio de Janeiro: Sextante, 2019.

ARIELY, D. *Positivamente irracional*. Rio de Janeiro: Elsevier, 2010.

[25]

LEPPER, M. R.; GREENE, D. & NISBETT, R. E. "Undermining children's intrinsic interest with extrinsic reward: A test of the 'overjustification' hypothesis", *Journal of Personality and Social Psychology*, 1973, 28ª ed., nº 1, pp. 129-37.

PINK, D. H. *Motivação 3.0*. Rio de Janeiro: Sextante, 2019.

[26]

KEELY, L. C. "Why isn't growth making us happier? Utility on the hedonic treadmill", *Journal of Economic Behavior*, 2005, 57ª ed., nº 3, pp. 333-55.

LYUBOMIRSKY, S.; SHELDON, K. M. e SCHKADE, D. "Pursuing happiness: The architecture of sustainable change", 2005, UC Riverside.

SHELDON, K. M. e LYUBOMIRSKY, S. "Achieving sustainable gains in happiness: Change your actions, not your circumstances", *Journal of Happiness Studies*, 2006, 7ª ed., nº 1, pp. 55-86.

ARIELY, D. *Positivamente irracional*. Rio de Janeiro: Elsevier, 2010.

PINK, D. H. *Motivação 3.0*. Rio de Janeiro: Sextante, 2019.

[27]

NESTLER, E. J. "The neurobiology of cocaine addiction", *Science & Practice Perspectives*, 2005, 3ª ed., nº 1, pp. 4-10.

BERRIDGE, K. C. e KRINGELBACH, M. L. "Affective neuroscience of pleasure: Reward in humans and animals", *Psychopharmacology*, 2008, nº 3, pp. 457-80.

SUVOROV, A. "Addiction to rewards". Toulouse School of Economics, 2003.

KRINGELBACH, M. L. "The functional neuroanatomy of pleasure and happiness", *Discovery Medicine*, 2010, ano 9, 49ª ed., pp. 579-87.

LINDEN, D. *A origem do prazer: Como nosso cérebro transforma nossos vícios (e virtudes) em experiências prazerosas*. Rio de Janeiro: Elsevier, 2011.

[28]

MILLER, E. K.; FREEDMAN, D. J. e WALLIS, J. D. "The prefrontal cortex: Categories, concepts and cognition", *Philosophical Transactions of the Royal Society B: Biological Sciences*. 29 ago. 2002, 357ª ed., nº 1424, pp. 1123-36.

GILBERT, D. *O que nos faz felizes*. Rio de Janeiro: Campus, 2006.

[29]

GILBERT, D. *O que nos faz felizes*. Rio de Janeiro: Campus, 2006.

[30]
LÖVHEIM, H. "A new three-dimensional model for emotions and monoamine neurotransmitters", *Medical Hypotheses*, 2012, 78ª ed., nº 2, pp. 341-348.
SCHNEIDER, T. A.; BUTRYN, T. M.; FURST, D. M. e MASUCCI, M. A. "A qualitative examination of risk among elite adventure racers", *Journal of Sport Behavior*, 2007, 30ª ed., nº 3.
SELIGMAN, M. E. P. *Felicidade autêntica*. Rio de Janeiro: Objetiva, 2019.

[31]
KEELY, L. C. "Why isn't growth making us happier? Utility on the hedonic treadmill", *Journal of Economic Behavior*, 2005, 57ª ed., nº 3, pp. 333-55.
KAHNEMAN, D. e KRUEGER, A. B. "Developments in the measurement of subjective well-being", *The Journal of Economic Perspectives*, 2006, 20ª ed., nº 1, pp. 3-24.
LYUBOMIRSKY, S.; SHELDON, K. M. e SCHKADE, D. "Pursuing happiness: The architecture of sustainable change", 2005, UC Riverside.
SCHNEIDER, T. A.; BUTRYN, T. M.; FURST, D. M. e MASUCCI, M. A. "A qualitative examination of risk among elite adventure racers", *Journal of Sport Behavior*, 2007, 30ª ed., nº 3.
GILBERT, D. *O que nos faz felizes*. Rio de Janeiro: Campus, 2006.
DIENER, E.; LUCAS, R. E. e SCOLLON, C. N. "Beyond the hedonic treadmill: Revising the adaptation theory of well-being", em DIENER, E. *The Science of Well-Being*. Nova York: Springer Netherlands, 2009, pp. 103-18.
ARIELY, D. *Positivamente irracional*. Rio de Janeiro: Elsevier, 2010.

[32]
BRICKMAN, P.; COATES, D. e JANOFF-BULMAN, R. "Lottery winners and accident victims: Is happiness relative?", *Journal of Personality and Social Psychology*, 1978, 36ª ed., nº 8, pp. 917-27.
KAHNEMAN, D. e KRUEGER, A. B. "Developments in the measurement of subjective well-being", *The Journal of Economic Perspectives*, 2006, 20ª ed., nº 1, pp. 3-24.
DI TELLA, R.; HAISKEN-DE NEW, J. e MACCULLOCH, R. "Happiness adaptation to income and to status in an individual panel", *Journal of Economic Behavior*, 2010, 76ª ed., nº 3, pp. 834-52.

HULME, O. "Comparative neurobiology: Hedonics & Happiness", Universidade da Colúmbia Britânica, 2010.

ARIELY, D. *Positivamente irracional*. Rio de Janeiro: Elsevier, 2010.

[33]

BRICKMAN, P.; COATES, D. e JANOFF-BULMAN, R. "Lottery winners and accident victims: Is happiness relative?", *Journal of Personality and Social Psychology*, 1978, 36ª ed., nº 8, pp. 917-27.

[34]

EASTERLIN, R. A. "Income and happiness: Towards a unified theory", *The Economic Journal*, 2001, 111ª ed., nº 473, pp. 465-84.

DI TELLA, R.; HAISKEN-DE NEW, J. e MACCULLOCH, R. "Happiness adaptation to income and to status in an individual panel", *Journal of Economic Behavior*, 2010, 76ª ed., nº 3, pp. 834-52.

[35]

NESTLER, E. J. "The neurobiology of cocaine addiction", *Science & Practice Perspectives*, 2005, 3ª ed., nº 1, pp. 4-10.

BERRIDGE, K. C. e KRINGELBACH, M. L. "Affective neuroscience of pleasure: Reward in humans and animals", *Psychopharmacology*, 2008, nº 3, pp. 457-80.

SUVOROV, A. "Addiction to rewards". Toulouse School of Economics, 2003.

KRINGELBACH, M. L. "The functional neuroanatomy of pleasure and happiness", *Discovery Medicine*, 2010, ano 9, 49ª ed., pp. 579-87.

LINDEN, D. *A origem do prazer: Como nosso cérebro transforma nossos vícios (e virtudes) em experiências prazerosas*. Rio de Janeiro: Elsevier, 2011.

[36]

BERRIDGE, K. C. e KRINGELBACH, M. L. "Affective neuroscience of pleasure: Reward in humans and animals", *Psychopharmacology*, 2008, nº 3, pp. 457-80.

SUVOROV, A. "Addiction to rewards". Toulouse School of Economics, 2003.

[37]
NOVO NORDISK, *Changing Diabetes*. Disponível em <www.novonordisk.com/about-novo-nordisk/changing-diabetes.html>, acesso em 8 nov. 2019.

[38]
YOUNG, J. A. e MICHELLE, M. "The zone: Evidence of a universal phenomenon for athletes across sports", *Athletic Insight: The Online Journal of Sport Psychology*, 1999, 1ª ed., nº 3, pp. 21-30.
CSÍKSZENTMIHÁLYI, M. *Optimal Experience: Psychological Studies of Flow in Consciousness*. 1ª ed. Cambridge: Cambridge University Press, 1992.
JACKSON, S. A. e CSÍKSZENTMIHÁLYI, M. *Flow in Sports*. Champaign, IL: Human Kinetics, 1999.
CSÍKSZENTMIHÁLYI, M. *Flow: The Psychology of Optimal Experience*. Nova York: HarperPerennial, 1991.
CSÍKSZENTMIHÁLYI, M. *Beyond Boredom and Anxiety*. 1ª ed. São Francisco: Jossey-Bass Publishers, 1975.
CSÍKSZENTMIHÁLYI, M. *A descoberta do fluxo*. Rio de Janeiro: Rocco, 1999.
CSÍKSZENTMIHÁLYI, M. *Creativity: Flow and the Psychology of Discovery and Invention*. 1ª ed. Nova York: HarperCollins Publishers, 1997.

[39]
CSÍKSZENTMIHÁLYI, M. *Flow: The Psychology of Optimal Experience*. Nova York: HarperPerennial, 1991.
CSÍKSZENTMIHÁLYI, M. *Beyond Boredom and Anxiety*. 1ª ed. São Francisco: Jossey-Bass Publishers, 1975.
CSÍKSZENTMIHÁLYI, M. *A descoberta do fluxo*. Rio de Janeiro: Rocco, 1999.
CSÍKSZENTMIHÁLYI, M. *Creativity: Flow and the Psychology of Discovery and Invention*. 1ª ed. Nova York: HarperCollins Publishers, 1997.

[40]
WILSON, E. O. *A conquista social da Terra*. São Paulo: Companhia das Letras, 2013.

[41]
WILSON, E. O. *A conquista social da Terra*. São Paulo: Companhia das Letras, 2013.

[42]

WILSON, E. O. *A conquista social da Terra*. São Paulo: Companhia das Letras, 2013.

[43]

RIDLEY, M. *As origens da virtude: Um estudo biológico da solidariedade*. Rio de Janeiro: Record, 2000.
RIDLEY, M. *The Red Queen: Sex and The Evolution of Human Nature*. 1ª ed., Nova York: Perennial, 2003.

[44]

DARWIN, C. *The Descent of Man and Selection in Relation to Sex*. Londres: Penguin, 2004.
RUSE, M. "Charles Darwin and group selection", *Annals of Science*, 1980, 37ª ed., nº 6, pp. 615-30.

[45]

WRIGHT, R. *Não zero: A lógica do destino humano*. Rio de Janeiro: Elsevier, 2000.
WRIGHT, R. *A evolução de Deus*. Rio de Janeiro: Record, 2012.
VON NEUMANN, J. *Theory of Games and Economic Behavior*. 16ª ed. Princeton: Princeton University Press, 2004.
JOHN F. NASH JR., autobiografia, em NobelPrize.org. Disponível em <www.nobelprize.org/prizes/economic-sciences/1994/nash/biographical>, acesso em 8 nov. 2019.

[46]

HAIDT, J. *The Righteous Mind: Why Good People Are Divided by Politics and Religion*. Nova York: Vintage, 2013.

[47]

SHIN, J. e ARIELY, D. "Keeping doors open: The effect of unavailability on incentives to keep options viable", *Management Science*, 2004, 50ª ed., nº 5, pp. 575-86.
SCHWARTZ, B. *O paradoxo da escolha: Por que mais é menos*. São Paulo: A Girafa, 2007.
IYENGAR, S. *A arte da escolha*. Belo Horizonte: Unicult, 2013.

[48]

STEEL, P. "The nature of procrastination: A meta-analytic and theoretical review of quintessential self-regulatory failure", *Psychological Bulletin*, 2007, 133ª ed., nº 1, pp. 65-94.

[49]

SCHOENEMANN, P. T. "Evolution of the size and functional areas of the human brain", *Annual Review of Anthropology*, 2006, 35ª ed., nº 1, pp. 379-406.

SEMENDEFERI, K.; DAMASIO, H.; FRANK, R. e VAN HOESEN, G. W. "The evolution of the frontal lobes: A volumetric analysis based on three-dimensional reconstructions of magnetic resonance scans of human and ape brains", *Journal of Human Evolution*, 1997, nº 32, pp. 375-88.

BANYAS, C. A. "Evolution and phylogenetic history of the frontal lobes", em MILLER, B. L. e CUMMINGS, J. L. *The Human Frontal Lobes: Functions and Disorders*. Nova York: Guilford Press, 1999, pp. 83-106. Coleção Science and Practice of Neuropsychology.

[50]

MACLEAN, P. D. *The Triune Brain in Evolution: Role in Paleocerebral Functions*. Nova York: Plenum Press, 1990.

[51]

LEDOUX, J. *O cérebro emocional: Os misteriosos alicerces da vida emocional*. Rio de Janeiro: Objetiva, 1998.

LIDZ, C. S. *Early Childhood Assessment*. Nova York: John Wiley, 2003.

DU PLESSIS, E. *The Branded Mind: What Neuroscience Really Tells Us About the Puzzle of the Brain and the Brand*. Filadélfia: Kogan Page, 2011.

[52]

MASCARÓ, J. *The Dhammapada: The Path of Perfection*. Harmondsworth: Penguin, 1973.

HAIDT, J. *The Happiness Hypothesis: Finding Modern Truth in Ancient Wisdom*. Nova York: Basic Books, 2006.

STEEL, P. *A equação de deixar para depois*. Rio de Janeiro: BestSeller, 2012.

[53]

BAUMEISTER, R. F.; MURAVEN, M. e TICE, D. M. "Ego depletion: A resource model of volition, self--regulation, and controlled processing", *Social Cognition*, 2000, 18ª ed., nº 2, pp. 130-50.

HAGGER, M. S.; WOOD, C.; STIFF, C. e CHATZISARANTIS, N. L. D. "Ego depletion and the strength model of self-control: A meta-analysis", *Psychological Bulletin*, 2010, 136ª ed., nº 4, pp. 495-525.

BAUMEISTER, R. F.; BRATSLAVSKY, E.; MURAVEN, M. e TICE, D. M. "Ego depletion: Is the active self a limited resource?", *Journal of Personality and Social Psychology*, 1998, 74ª ed., nº 5, pp. 1252-65.

BAUMEISTER, R. F. "Ego depletion and self-regulation failure: A resource model of self-control", *Alcoholism: Clinical*, 2003, 27ª ed., nº 2, pp. 281-84.

BAUMEISTER, R. F. *Handbook of Self-Regulation: Research, Theory, and Applications*. Nova York: Guilford Press, 2007.

STEEL, P. *A equação de deixar para depois*. Rio de Janeiro: BestSeller, 2012.

[54]

Estudos mais recentes que tentaram validar as descobertas sobre as limitações dos recursos cognitivos não as replicaram, mas existe uma meta-análise que as confirma e pesquisadores mostram que nossa capacidade de autorregulação se baseia em açúcares simples, cujo nível é esgotável. Assim, a questão dos recursos cognitivos e de suas limitações exige mais pesquisas.

[55]

GAILLIOT, M. T.; BAUMEISTER, R. F.; DEWALL, C. N.; MANER, J. K.; PLANT, E. A.; TICE, D. M.; BREWER, L. E. e SCHMEICHEL, B. J. "Self-control relies on glucose as a limited energy source: Willpower is more than a metaphor", *Journal of Personality and Social Psychology*, 2007, 92ª ed., nº 2, pp. 325-36.

FAIRCLOUGH, S. H. e HOUSTON, K. "A metabolic measure of mental effort", *Biological Psychology*, 2004, 66ª ed., nº 2, pp. 177-90.

[56]

BAUMEISTER, R. F.; BRATSLAVSKY, E.; MURAVEN, M. e TICE, D. M. "Ego depletion: Is the active self a limited resource?", *Journal of Personality and Social Psychology*, 1998, 74ª ed., nº 5, pp. 1252-65.

BAUMEISTER, R. F.; MURAVEN, M. e TICE, D. M. "Ego depletion: A resource model of volition, self--regulation, and controlled processing", *Social Cognition*, 2000, 18ª ed., nº 2, pp. 130-50.

TICE, D. M.; BAUMEISTER, R. F.; SHMUELI, D. e MURAVEN, M. "Restoring the self: Positive affect helps improve self-regulation following ego depletion", *Journal of Experimental Social Psychology*, 2007, 43ª ed., nº 3, pp. 379-84.

BAUMEISTER, R. F. *Handbook of Self-Regulation: Research, Theory, and Applications*. Nova York: Guilford Press, 2007.

[57]

BARTON, J., & PRETTY, J. "What is the best dose of nature and green exercise for improving mental health? A multi-study analysis", *Environmental Science & Technology*, 44ª ed., pp. 3947-55.

[58]

HAGGER, M. S.; WOOD, C.; STIFF C. e CHATZISARANTIS, N. L. D. "Ego depletion and the strength model of self-control: A meta-analysis", *Psychological Bulletin*, 2010, 136ª ed., nº 4, pp. 495-525.

BAUMEISTER, R. F.; BRATSLAVSKY, E.; MURAVEN, M. e TICE, D. M. "Ego depletion: Is the active self a limited resource?", *Journal of Personality and Social Psychology*, 1998, 74ª ed., nº 5, pp. 1252-65.

MEAD, N. L.; BAUMEISTER, R. F.; GINO, F.; SCHWEITZER, M. E. e ARIELY, D. "Too tired to tell the truth: Self-control resource depletion and dishonesty", *Journal of Experimental Social Psychology*, 2009, 45ª ed., nº 3, pp. 594-7.

BAUMEISTER, R. F. e TIERNEY. *Força de vontade: A redescoberta do poder humano*. São Paulo: Lafonte, 2012.

BAUMEISTER, R. F. *Handbook of Self-Regulation: Research, Theory, and Applications*. Nova York: Guilford Press, 2007.

[59]

LALLY, P.; VAN JAARSVELD, C. H. M.; POTTS, H. W. W. e WARDLE, J. "How are habits formed: Modelling habit formation in the real world", *European Journal of Social Psychology*, 2010, 40ª ed., nº 6, pp. 998-1009.

[60]

MAURER, R. e HIRSCHMAN, L. A. *The Spirit of Kaizen: Creating Lasting Excellence One Small Step at a Time*. Nova York: McGraw-Hill, 2012.

IMAI, M. *Kaizen: Estratégia para o sucesso competitivo*. São Paulo: IMAM, 1999.

[61]

IYENGAR, S. S. e LEPPER, M. R. "When choice is demotivating: Can one desire too much of a good thing?", *Journal of Personality and Social Psychology*, 2000, 79ª ed., nº 6, pp. 995-1006.

SCHWARTZ, B.; WARD, A.; MONTEROSSO, J.; LYUBOMIRSKY, S.; WHITE, K. e LEHMAN, D. R. "Maximizing versus satisficing: Happiness is a matter of choice", *Journal of Personality and Social Psychology*, 2002, 83ª ed., nº 5, pp. 1178-97.

BROCAS, I. e CARRILLO, J. D. (orgs.). *The Psychology of Economic Decisions*. 2ª ed. Nova York: Oxford University Press, 2003-2004.

SCHWARTZ, B. *O paradoxo da escolha: Por que mais é menos*. São Paulo: A Girafa, 2007.

IYENGAR, S. *A arte da escolha*. Belo Horizonte: Unicult, 2013.

[62]

IYENGAR, S. S.; HUBERMAN, G. e JIANG, G. "How much choice is too much?: Contributions to 401(k) retirement plans", *Pension Design and Structure: New Lessons from Behavioral Finance*, 2005.

[63]

REDELMEIER, D. A. "Medical decision making in situations that offer multiple alternatives", *The Journal of the American Medical Association*, 1995, 273ª ed., nº 4, pp. 302-5.

[64]

GILBERT, D. T. e EBERT, J. E. "Decisions and revisions: the affective forecasting of changeable outcomes", *Journal of Personality and Social Psychology*, 2002, 82ª ed., nº 4, pp. 503-14.

IYENGAR, S. S.; WELLS, R. E. e SCHWARTZ, B. "Doing better but feeling worse: Looking for the 'best' job undermines satisfaction", *Psychological Science*, 2006, 17ª ed., nº 2, pp. 143-50.

SCHWARTZ, B. *O paradoxo da escolha: Por que mais é menos*. São Paulo: A Girafa, 2007.

IYENGAR, S. *A arte da escolha*. Belo Horizonte: Unicult, 2013.

[65]

GILBERT, D. T. e EBERT, J. E. "Decisions and revisions: the affective forecasting of changeable outcomes", *Journal of Personality and Social Psychology*, 2002, 82ª ed., nº 4, pp. 503-14.

[66]

MILLER, G. A. "The magical number seven, plus or minus two: Some limits on our capacity for processing information", *Psychological Review*, 1956, 63ª ed., nº 2, pp. 81-97.

HALFORD, G. S."How many variables can humans process?", *Psychological Science*, 2005, 16ª ed., nº 1, pp. 70-76.

[67]

HANEY, C.; BANKS, W. C. e ZIMBARDO, P. G. "Study of prisoners and guards in a simulated prison", *Naval Research Reviews*, 1973, nº 9, pp. 1-17.

ZIMBARDO, P. G.; MASLACH, C. e HANEY, C. "Reflections on the Stanford Prison Experiment: Genesis, transformations, consequences", em BLASS, T. (org.). *Obedience to Authority: Current Perspectives on the Milgram Paradigm,* 2000, pp. 193-237.

HANEY, C. "Interpersonal dynamics in a simulated prison", *International Journal of Criminology and Penology*, 1973, nº 1, pp. 69-97.

HANEY, C. *The Stanford Prison Experiment*, 1999, disponível em <www.prisonexp.org>, acesso em 11 nov. 2019.

ZIMBARDO, P. G. *O efeito Lúcifer: Como pessoas boas se tornam más*. Rio de Janeiro: Record, 2012.

[68]

ZIMBARDO, P. G. *O efeito Lúcifer: Como pessoas boas se tornam más*. Rio de Janeiro: Record, 2012.

ZIMBARDO, P. G. "Power turns good soldiers into 'bad apples'", *The Boston Globe*, 9 maio 2004, disponível em: <www.boston.com/news/globe/editorial_opinion/oped/articles/2004/05/09/power_turns_good_soldiers_into_bad_apples>, acesso em 11 nov. 2019.

ZIMBARDO, P. G. e O'BRIEN, S. "Researcher: It's not bad apples, it's the barrel", *CNN.com*, 21 maio 2004, disponível em <http://edition.cnn.com/2004/US/05/21/zimbarbo.access/>, acesso em 11 nov. 2019.

ZAGORIN, A. "Shell-shocked at Abu Ghraib?", *TIME Magazine*, 18 maio 2007, disponível em <content.time.com/time/nation/article/0,8599,1622881,00.html>, acesso em 11 nov. 2019.

[69]

ZIMBARDO, P. G. "A situationist perspective on the psychology of evil: Understanding how good people are transformed into perpetrators", em MILLER, A. G. (org.). *The Social Psychology of Good and Evil*. Nova York: Guilford press, 2005, pp. 21-50.

ZIMBARDO, P. G. *O efeito Lúcifer: Como pessoas boas se tornam más*. Rio de Janeiro: Record, 2012.

[70]

ZIMBARDO, P. G. *O efeito Lúcifer: Como pessoas boas se tornam más*. Rio de Janeiro: Record, 2012.

ZIMBARDO, P. G. e FRANCO, Z. "Celebrating heroism", *The Lucifer Effect*, 2006, disponível em <www.lucifereffect.com/heroism.htm>, acesso em 11 nov. 2019.

[71]

Zimbardo não foi o único a chegar a essa conclusão. A conformidade da zona de conforto já está consagrada, sendo respaldada por outras pesquisas, a exemplo de Salomon Asch e outros.

ASCH, S. E. (1956). "Studies of independence and conformity: I. A minority of one against a unanimous majority", *Psychological Monographs: General and Applied*, 70(9), 1.

BOND, R. e SMITH, P. B. (1996). "Culture and conformity: A meta-analysis of studies using Asch's (1952b, 1956) line judgment task", *Psychological Bulletin*, 119(1), 11.

LATANÉ, B. e DARLEY, J. M. (1970). *The Unresponsive Bystander: Why Doesn't He Help?* Century Psychology Series. Nova York: Appleton-Century Crofts.

CHEKROUN, P. e BRAUER, M. (2002). "The bystander effect and social control behavior: The effect of the presence of others on people's reactions to norm violations", *European Journal of Social Psychology*, 32(6), pp. 853-67.

[72]

BROWN, M. "Comfort zone: Model or metaphor?", *Australian Journal of Outdoor Education*, 2008, 12ª ed., nº 1, pp. 3-12.

BERRIDGE, K. C. e KRINGELBACH, M. L. "Affective neuroscience of pleasure: Reward in humans and animals", *Psychopharmacology*, 2008, nº 3, pp. 457-80.

PANICUCC, J.; PROUTY, D. e COLLINSON, R. *Adventure Education: Theory and Applications*. Champaign, IL: Human Kinetics, 2007.

CSÍKSZENTMIHÁLYI, M. *A descoberta do fluxo*. Rio de Janeiro: Rocco, 1999.

CSÍKSZENTMIHÁLYI, M. *Flow: The Psychology of Optimal Experience*. Nova York: HarperPerennial, 1991.

[73]

NITOBE, I. *Bushido: The Soul of Japan*. 1ª ed. Tóquio: Kodansha International, 2002.

[74]

KEELY, L. C. "Why isn't growth making us happier? Utility on the hedonic treadmill", *Journal of Economic Behavior*, 2005, 57ª ed., nº 3, pp. 333-55.

LYUBOMIRSKY, S.; SHELDON, K. M. e SCHKADE, D. "Pursuing happiness: The architecture of sustainable change", 2005, UC Riverside.

SHELDON, K. M. e LYUBOMIRSKY, S. "Achieving sustainable gains in happiness: Change your actions, not your circumstances", *Journal of Happiness Studies*, 2006, 7ª ed., nº 1, pp. 55-86.

PINK, D. H. *Motivação 3.0*. Rio de Janeiro: Sextante, 2019.

[75]

MARCHAND, W. R. e outros. "Neurobiology of mood disorders", *Hospital Physician*, 2005, 41ª ed., nº 9, p. 17.

[76]

AMANO, T; DUVARCI, S.; POPA, D. e PARE, D. "The fear circuit revisited: Contributions of the basal amygdala nuclei to conditioned fear", *Journal of Neuroscience*, 2011, 31ª ed., nº 43, pp. 15481-9.

DIAMANDIS, P. H. e KOTLER, S. *Abundância: O futuro é melhor do que você imagina*. Rio de Janeiro: Alta Books, 2018.

SHERMER, M. *Cérebro e crença*. São Paulo: JSN, 2012.

[77]

AMANO, T; DUVARCI, S.; POPA, D. e PARE, D. "The fear circuit revisited: Contributions of the basal amygdala nuclei to conditioned fear", *Journal of Neuroscience*, 2011, 31ª ed., nº 43, pp. 15481-9.

DIAMANDIS, P. H. e KOTLER, S. *Abundância: O futuro é melhor do que você imagina*. Rio de Janeiro: Alta Books, 2018.

[78]

DIAMANDIS, P. H. e KOTLER, S. *Abundância: O futuro é melhor do que você imagina*. Rio de Janeiro: Alta Books, 2018.

SHERMER, M. *Cérebro e crença*. São Paulo: JSN, 2012.

[79]

HAUB, C. "How many people have ever lived on Earth?", *Population Reference Bureau*, 1995, disponível em <www.prb.org/howmanypeoplehaveeverlivedonearth>, acesso em 11 nov. 2019.

[80]

SWEENEY, P. D.; ANDERSON, K. e BAILEY, S. "Attributional style in depression: A meta-analytic review", *Journal of Personality and Social Psychology*, 1986, 50ª ed., nº 5, pp. 974-91.

PETERSON, C.; MAIER, S. F. e SELIGMAN, M. E. P. *Learned Helplessness: A Theory for the Age of Personal Control*. Nova York: Oxford University Press, 1993.

SELIGMAN, M. E. P. *Aprenda a ser otimista: Como mudar sua mente e sua vida*. Rio de Janeiro: Objetiva, 2019.

[81]

O estudo mencionado foi realizado inicialmente com ratos e choques elétricos, mas, para um exemplo mais poético e simples, usamos o modelo com hamsters e caixas.

SELIGMAN, M. E. P. "Learned helplessness", *Annual Review of Medicine*, 1972, 23ª ed., nº 1, pp. 407-12.

SELIGMAN, M. E.; ROSELLINI, R. A. e KOZAK, M. J. "Learned helplessness in the rat: Time course, immunization, and reversibility", *Journal of Comparative and Physiological Psychology*, 1975, 88ª ed., nº 2, pp. 542-7.

SELIGMAN, M. E. P. *Helplessness: On Depression, Development, and Death*. Nova York: W. H. Freeman, 1992.
PETERSON, C.; MAIER, S. F. e SELIGMAN, M. E. P. *Learned Helplessness: A Theory for the Age of Personal Control*. Nova York: Oxford University Press, 1993.
SELIGMAN, M. E. P. *Aprenda a ser otimista: Como mudar sua mente e sua vida*. Rio de Janeiro: Objetiva, 2019.

[82]

SELIGMAN, M. E.; ROSELLINI, R. A. e KOZAK, M. J. "Learned helplessness in the rat: Time course, immunization, and reversibility", *Journal of Comparative and Physiological Psychology*, 1975, 88ª ed., nº 2, pp. 542-7.

[83]

ZIMBARDO, P. G. e BOYD, J. *O paradoxo do tempo*. São Paulo: Fontanar, 2009.

[84]

ZIMBARDO, P. G. e BOYD, J. N. "Putting time in perspective: A valid, reliable individual-differences metric", *Journal of Personality and Social Psychology*, 1999, 77ª ed., nº 6, pp. 1271-88.
HARBER, K., ZIMBARDO, P. G. e BOYD, J. N. "Participant self-selection biases as a function of individual differences in time perspective", *Basic and Applied Social Psychology*, 2003, 25ª ed., nº 3, pp. 255-64.
ZIMBARDO, P. G. e BOYD, J. *O paradoxo do tempo*. São Paulo: Fontanar, 2009.

[85]

FRANKL, V. *Em busca de sentido*. Rio de Janeiro: Vozes, 1991.

[86]

BROWN, M. "Comfort zone: Model or metaphor?", *Australian Journal of Outdoor Education*, 2008, 12ª ed., nº 1, pp. 3-12.
PANICUCCI, J.; PROUTY, D. e COLLINSON, R. *Adventure Education: Theory and Applications*. Champaign, IL: Human Kinetics, 2007.

[87]

TEDESCHI, R. G. e CALHOUN, L. G. "Target article: Posttraumatic growth", *Psychological Inquiry*, 2004, 15ª ed., nº 1, pp. 1-18.

SELIGMAN, M. E. P. *Florescer: Uma nova compreensão da felicidade e do bem-estar*. Rio de Janeiro: Objetiva, 2011.

[88]

PAUSCH, R. e ZASLOW, J. *A lição final*. Rio de Janeiro: Agir, 2008.

[89]

SELIGMAN, M. E. P.; STEEN, T. A.; PARK, N. e PETERSON, C. "Positive psychology progress: Empirical validation of interventions", *American Psychologist*, 2005, 60ª ed., nº 5, pp. 410-21.

EXÉRCITO dos EUA. *Comprehensive Soldier & Family Fitness: Building Resilience & Enhancing Performance*, 2014, disponível em <www.ausa.org/publications/comprehensive-soldier-and-family-fitness-building-resilience-enhancing-performance>, acesso em 11 nov. 2019.

SELIGMAN, M. E. P. *Florescer: Uma nova compreensão da felicidade e do bem-estar*. Rio de Janeiro: Objetiva, 2011.

[90]

SELIGMAN, M. E. P.; STEEN, T. A.; PARK, N. e PETERSON, C. "Positive psychology progress: Empirical validation of interventions", *American Psychologist*, 2005, 60ª ed., nº 5, pp. 410-21.

SELIGMAN, M. E. P. *Florescer: Uma nova compreensão da felicidade e do bem-estar*. Rio de Janeiro: Objetiva, 2011.

[91]

KAHNEMAN, D. e KRUEGER, A. B. "Developments in the measurement of subjective well-being", *The Journal of Economic Perspectives*, 2006, 20ª ed., nº 1, pp. 3-24.

SCHWARZ, N. e STRACK, F. "Reports of subjective well-being: Judgmental processes and their methodological implications", *Well-Being: The Foundations of Hedonic Psychology*, 1999, pp. 61-84.

SCHWARZ, N. & CLORE, G. L. "Mood, misattribution, and judgments of well-being: Informative and directive functions of affective states", *Journal of Personality & Social Psychology*, 1983, 45ª ed., nº 3, pp. 513-23.

BOWER, G. H. "Mood and memory", *American Psychologist*, 1981, 36ª ed., nº 2, pp. 129-48.

WATKINS, P. C.; VACHE, K.; VERNEY, S. P. e MATHEWS, A. "Unconscious mood-congruent memory bias in depression", *Journal of Abnormal Psychology*, 1996, 105ª ed., nº 1, pp. 34-41.

GILBERT, D. *O que nos faz felizes*. Rio de Janeiro: Campus, 2006.

[92]

FUOCO, M. A. "Trial and error: They had larceny in their hearts, but little in their heads", *Pittsburgh Post-Gazette*, 21 maio 1996.

KRUGER, J. & DUNNING, D. "Unskilled and unaware of it: How difficulties in recognizing one's own incompetence lead to inflated self-assessments", *Psychology*, 2009, nº 1, pp. 30-46.

[93]

JOHNSON-LAIRD, P. N. *Mental Models: Towards a Cognitive Science of Language, Inference, and Consciousness*. 5ª ed., Cambridge, Mass.: Harvard University Press, 1993.

UNIVERSIDADE PRINCETON, *Mental Models & Reasoning*, 25 mar. 2013, disponível em <mental-models.princeton.edu>, acesso em 11 nov. 2019.

[94]

KRUGER, J. & DUNNING, D. "Unskilled and unaware of it: How difficulties in recognizing one's own incompetence lead to inflated self-assessments", *Psychology*, 2009, nº 1, pp. 30-46.

[95]

HARRIS, S.; SHETH, S. A. e COHEN, M. S. "Functional neuroimaging of belief, disbelief, and uncertainty", *Annals of Neurology*, 2008, 63ª ed., nº 2, pp. 141-7.

[96]

VUILLEUMIER, P. "Anosognosia: The neurology of beliefs and uncertainties", *Cortex*, 2004, 40ª ed., nº 1, pp. 9-17.

VALLAR, G. e RONCHI, R. "Anosognosia for motor and sensory deficits after unilateral brain damage: A review", *Restorative Neurology and Neuroscience*, 2006, 24ª ed., nº 4, pp. 247-57.

PRIGATANO, G. P. e SCHACTER, D. L. *Awareness of Deficit after Brain Injury: Clinical and Theoretical Issues*. Nova York: Oxford University Press, 1991.

[97]

A base anatômica da anosognosia – introdução. *Treatment Advocacy Center*, 2012, disponível em <www.treatmentadvocacycenter.org/about-us/our-reports-andstudies/2143>, acesso em 11 nov. 2019.

[98]

CRITCHLEY, M. "Modes of reaction to central blindness", *Proceedings of the Australian Association of Neurologists*, 1968, 5ª ed., nº 2, pp. 211.

PRIGATANO, G. P. e SCHACTER, D. L. *Awareness of Deficit after Brain Injury: Clinical and Theoretical Issues*. Nova York: Oxford University Press, 1991.

[99]

KRUGER, J. e DUNNING, D. "Unskilled and unaware of it: How difficulties in recognizing one's own incompetence lead to inflated self-assessments", *Psychology*, 2009, nº 1, pp. 30-46.

[100]

ARIELY, D. *Positivamente irracional*. Rio de Janeiro: Elsevier, 2010.

ARIELY, D. *Previsivelmente irracional*. Rio de Janeiro: Sextante, 2020.

[101]

WHITSON, J. A. e GALINSKY, A. D. "Lacking control increases illusory pattern perception", *Science*, 2008, 322ª ed., nº 5898, pp. 115-7.

MUSCH, J. e EHRENBERG, K. "Probability misjudgment, cognitive ability, and belief in the paranormal", *British Journal of Psychology*, 2002, 93ª ed., nº 2, pp. 169-77.

BRUGGER, P.; LANDIS, T. e REGARD, M. A. "'Sheep-goat effect' in repetition avoidance: Extrasensory perception as an effect of subjective probability?", *British Journal of Psychology*, 1990, 81ª ed., nº 4, pp. 455-68.

SHERMER, M. *Cérebro e crença*. São Paulo: JSN, 2012.

[102]

BBC. "1978: Mass suicide leaves 900 dead", *BBC.com*, 18 nov. 1978, disponível em <news.bbc.co.uk/onthisday/hi/dates/stories/november/18/newsid_2540000/2540209.stm>, acesso em 11 nov. 2019.

WESSINGER, C. *How the Millennium Comes Violently: From Jonestown to Heaven's Gate*. York: Seven Bridges Press, 2000.

Agradecimentos

Um enorme obrigado a toda a minha equipe espalhada pelo mundo. Sem vocês, este livro não existiria. A todos da New Leaf Literary e da St. Martin's Press, um obrigado por todo o trabalho incrível que vocês realizaram para fazer este projeto acontecer.

E, mais importante, aos meus pais e avós, agradeço pela orientação e os valores que me tornaram quem sou.

OBJETIVIDADE
- CHEGAR MAIS PERTO DA VERDADE
- REDUZIR O EFEITO DUNNING-KRUGER E MELHORAR A PERCEPÇÃO DA REALIDADE
- CRIAR E TESTAR MODELOS DE COMO O MUNDO FUNCIONA

BEM
- COOPERAÇÃO ALTRUÍSTA
- REALIZAR MEU POTENCIAL EM HARMONIA COM AS NECESSIDADES DO GRUPO

HEROÍSMO
- SAIR DA MINHA ZONA DE CONFORTO
- ME AFASTAR DA MULTIDÃO E DO REBANHO
- TER CORAGEM PARA COMEÇAR A AGIR

"A vida virtuosa é aquela inspirada no amor e guiada pelo conhecimento."
– Bertrand Russell